Classic Acoustic Playlist

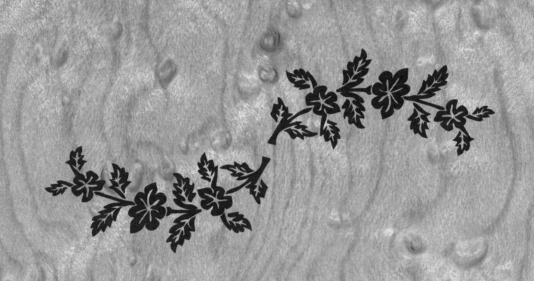

First published by International Music Publications Ltd in 2003
International Music Publications Ltd is a Faber Music company
3 Queen Square, London WC1N 3AU

Editorial and production by Artemis Music Limited
Folio design by Dominic Brookman

Printed in England by Caligraving Ltd

ISBN 0-571-52571-7

To buy Faber Music publications or to find out about the full range of titles available, please contact your local music retailer or Faber Music sales enquiries:

Faber Music Ltd, Burnt Mill, Elizabeth Way, Harlow, CM20 2HX England
Tel: +44(0)1279 82 89 82 Fax: +44(0)1279 82 89 83
sales@fabermusic.com fabermusic.com

How to use this book

All the songs in this book have been carefully arranged to sound great on the acoustic guitar. They are all in the same keys as the original recordings, and wherever possible authentic chord voicings have been used, except in cases where an alternative voicing more accurately reflects the overall tonality.

Where a capo was used on the original track, it will be indicated at the top of the song under the chord boxes. If you don't have a capo, you can still play the song, but it won't sound in the same key as the original track. Where a song is played in an altered tuning, that is also indicated at the top of the song.

Understanding chord boxes

Chord boxes show the neck of your guitar as if viewed head on – the vertical lines represent the strings (low E to high E, from left to right), and the horizontal lines represent the frets.

An x above a string means 'don't play this string'.

A o above a string means 'play this open string'.

The black dots show you where to put your fingers.

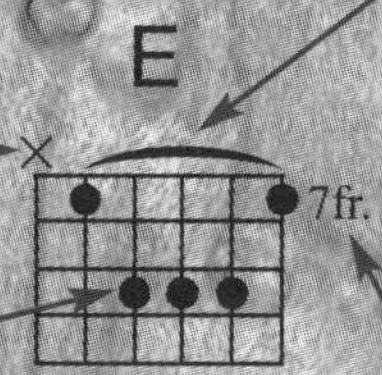

A curved line joining two dots on the fretboard represents a 'barre'. This means that you flatten one of your fretting fingers (usually the first) so that you hold down all the strings between the two dots, at the fret marked.

A fret marking at the side of the chord box shows you where chords that are played higher up the neck are located.

Tuning your guitar

The best way to tune your guitar is to use an electronic guitar tuner. Alternatively, you can use relative tuning – this will ensure that your guitar is in tune with itself, but won't guarantee that you will be in tune with the original track (or any other musicians).

How to use relative tuning

Fret the low E string at the fifth fret and pluck – compare this with the sound of the open A string. The two notes should be in tune – if not, adjust the tuning of the A string until the two notes match.

Repeat this process for the other strings according to this diagram:

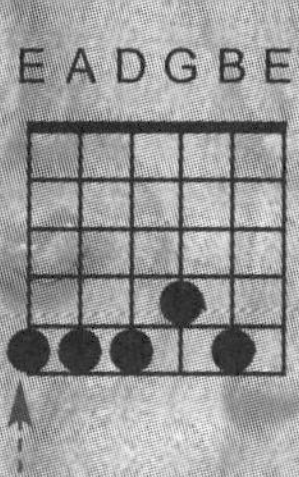

Tune A string to this note

Note that the B string should match the note at the 4th fret of the G string, whereas all the other strings match the note at the 5th fret of the string below.

As a final check, ensure that the bottom E string and top E string are in tune with each other.

Contents

Ain't No Sunshine

Words and Music by
BILL WITHERS

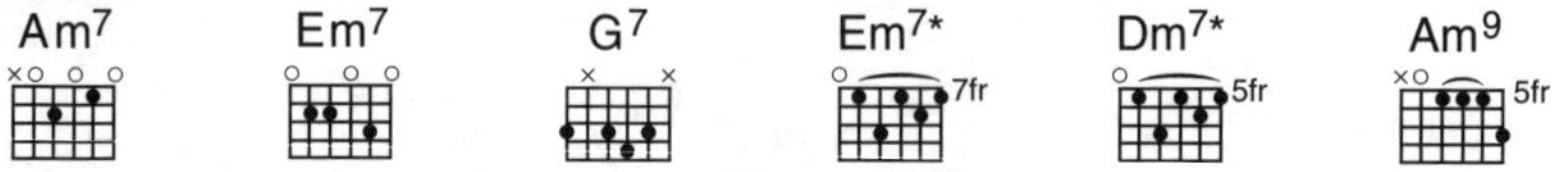

♩ = 73

Verse 1

4/4 | N.C. | Am7 Em7 G7 (G bass)
Ain't no sunshine when she's gone,
| Am7 | Em7 G7
It's not warm when she's away.
| Am7 | Em7*
Ain't no sunshine when she's go - one
| Dm7*
And she's always gone too long
| Am7 Em7 G7
Anytime she goes away.

Verse 2

| Am7 | Em7 G7
Wonder this time where she's gone?
| Am7 | Em7 G7
Wonder if she's gone to stay?
| Am7 | Em7*
Ain't no sunshine when she's go - one
| Dm7*
And this house just ain't no home
| Am7 Em7 G7
Anytime she goes away.

Bridge

| Am⁷
And I know, I know, I know, I know,

x4
||: N.C. :||
I know, I know, I know, I know,

I know, I know, I know, I know, I know,

| |
I know, hey, I ought to leave the young thing alone,

| Am⁷ Em⁷ G⁷
But ain't no sunshine when she's gone.______

Verse 3

| Am⁷ Em⁷ G⁷
Ain't no sunshine when she's gone,

| Am⁷ | Em⁷ G⁷
Only darkness every day.

| Am⁷ | Em⁷*
Ain't no sunshine when she's go - one

| Dm⁷*
And this house just ain't no home

| Am⁷ Em⁷ G⁷
Anytime she goes away.

| Am⁷ | Em⁷ G⁷
Anytime she goes away.

| Am⁷ | Em⁷ G⁷
Anytime she goes away.

| Am⁷ | Em⁷ G⁷ | Am⁹ ||
Anytime she goes away.

All Tomorrow's Parties

Words and Music by
LOU REED

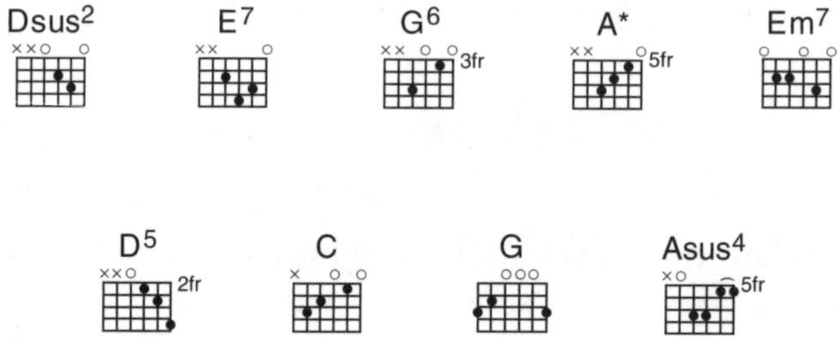

♩ = 90

Intro

4/4 | Dsus2 / / / / | E7 / / / / | G6 / / / / | A* / G6 / Em7 / / |

|: D5 / / / / | / / / / | / / / / :|

Verse 1

| 6/4 | C 4/4 | D5
And what costume shall the poor girl wear

| | G Em7 | Asus4
To all tomorrow's parties?

| 6/4 | D5 C 4/4 | D5
A hand-me-down dress from who knows where

| | G Em7 | Asus4 |
To all tomorrow's parties.

Chorus 1

```
       | G                     | Asus4
And where will she go and what shall she do
       | G              | Asus4       |
When midnight comes around?
|       6/4| D5              C      4/4| D5
    She'll turn once more to  Sunday's clown
|       | G    Asus4  | D5      |
    And cry behind the door.
```

Instrumental

```
D5                                                          x3
||: / / / / | / / / / | / / / / | / / / / :||
D5
| / / / / | / / / /
```

Verse 2

```
|           6/4| D5                C       4/4| D5
    And what costume shall the poor girl wear
|     | G   Em7      | Asus4
    To all tomorrow's parties?
|       6/4| D5              C           4/4| D5
    Why,  silks and linens of yesterday's gowns
|     | G   Em7      | Asus4
    To all tomorrow's parties.
```

Chorus 2

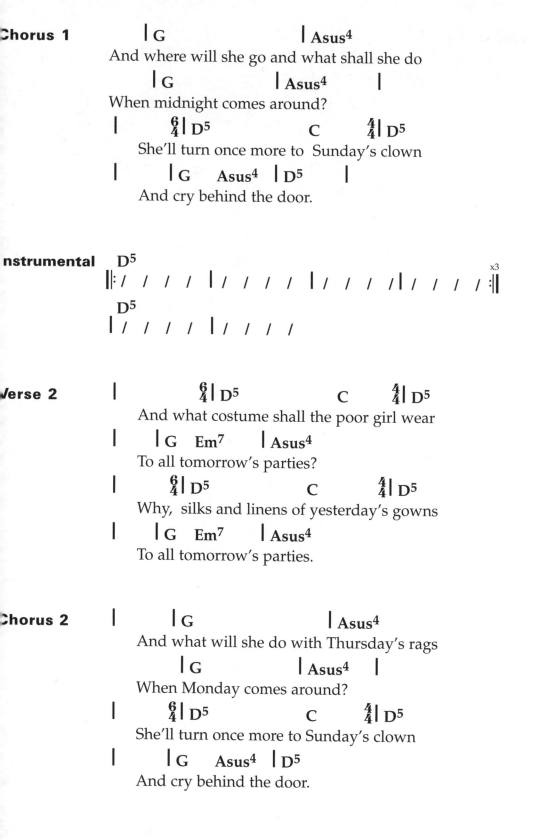

```
|       | G                     | Asus4
    And what will she do with Thursday's rags
           | G            | Asus4     |
    When Monday comes around?
|       6/4| D5              C      4/4| D5
    She'll turn once more to Sunday's clown
|       | G    Asus4  | D5
    And cry behind the door.
```

Instrumental

D5 x5
𝄆 / / / / | / / / / | / / / / | / / / / 𝄇

D5
| / / / / | / / / /

Verse 3

| 6/4 | D5 C 4/4 | D5
And what costume shall the poor girl wear

| | G Em7 | Asus4
To all tomorrow's parties?

| 6/4 | D5 C 4/4 | D5
For Thursday's child is Sunday's clown

| | G Em7 | Asus4
For whom none will go mourning.

Chorus 3

| | G | Asus4
A blackened shroud, a hand-me-down gown

| G | Asus4 |
Of rags and silks, a costume / / / /

6/4 | D5 C 4/4 | D5
Fit for one who sits and cries ____

| | G Asus4 | D5 | |
__ For all tomorrow's parties. / / / /

Coda

D5 x4 D5
𝄆 / / / / | / / / / | / / / / | / / / / 𝄇 /

Alone Again Or

Words and Music by
BRIAN MacLEAN

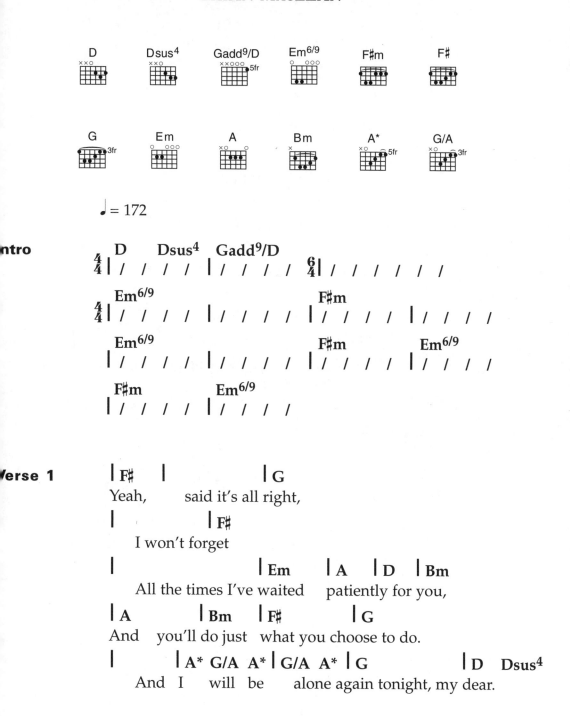

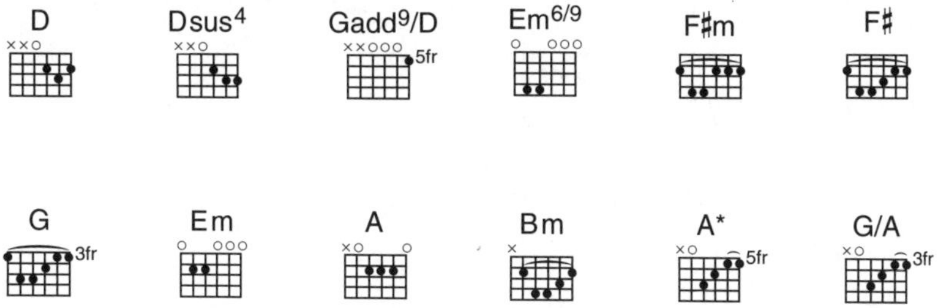

♩ = 172

Intro

4/4 | D Dsus4 / / / / | Gadd9/D / / / / | 6/4 / / / / / / |

4/4 | Em6/9 / / / / | / / / / | F♯m / / / / | / / / / |

| Em6/9 / / / / | / / / / | F♯m / / / / | Em6/9 / / / / |

| F♯m / / / / | Em6/9 / / / / |

Verse 1

| F♯ | | G
Yeah, said it's all right,

| | F♯
I won't forget

| | Em | A | D | Bm
All the times I've waited patiently for you,

| A | Bm | F♯ | G
And you'll do just what you choose to do.

| | A* G/A A* | G/A A* | G | D Dsus4
And I will be alone again tonight, my dear.

Link

```
Gadd9/D
| /  /  /  /  6/4| /  /  /  /  /  /

     Em6/9                                    F#m
4/4| /  /  /  /  | /  /  /  /  | /  /  /  /  | /  /  /  /

   Em6/9                                    F#m          Em6/9
   | /  /  /  /  | /  /  /  /  | /  /  /  /  | /  /  /  /

   F#m           Em6/9
   | /  /  /  /  | /  /  /  /
```

Verse 2

```
|F#      |                  |G
Yeah,      I heard a funny thing:
|                       |F#
   Somebody said to me,
|                             |Em |A                  |D   |Bm
   'You know that I could be in love with almost everyone.
|A         |Bm   |F#    |G
I think that people are the greatest fun.'
|        |A* G/A A* |G/A A* |G                 |D   Dsus
   And I    will  be     alone again tonight, my dear.
```

Link

```
Gadd9/D
| /  /  /  /  6/4| /  /  /  /  /  /

     Em6/9                                    F#m
4/4| /  /  /  /  | /  /  /  /  | /  /  /  /  | /  /  /  /

   Em6/9                                    F#m          Em6/9
   | /  /  /  /  | /  /  /  /  | /  /  /  /  | /  /  /  /

   F#m           Em6/9
   | /  /  /  /  | /  /  /  /
```

Instrumental

```
F#                          G
| /  /  /  /  | /  /  /  /  | /  /  /  /  | /  /  /  /

F#                          Em           A
| /  /  /  /  | /  /  /  /  | /  /  /  /  | /  /  /  /
```

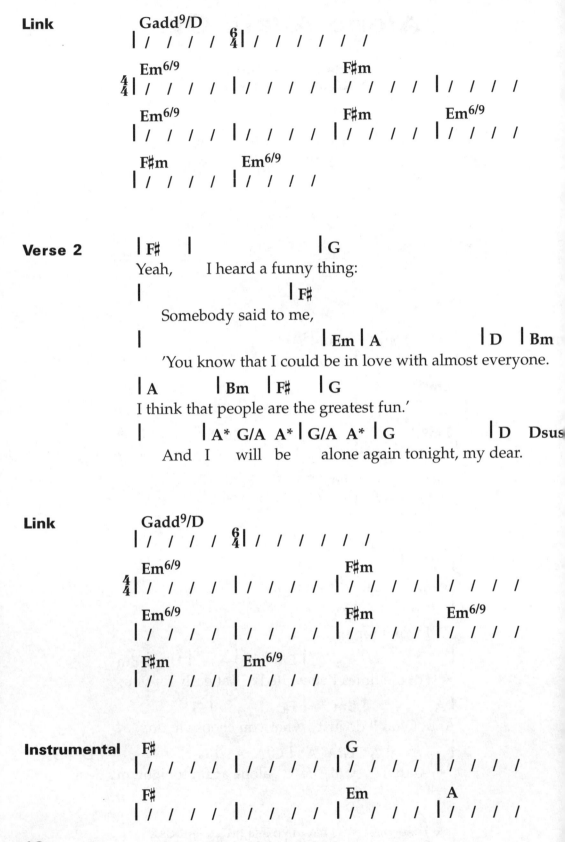

D Bm A Bm
| / / / / | / / / / | / / / / | / / / /

F♯ G A* G/A A*
| / / / / | / / / / | / / / / | / / / /

G/A A* G/A G
| / / / / | / / / /

Link

D Dsus^4 Gadd^9/D
| / / / / | / / / / $\frac{6}{4}$| / / / / / /

Em$^{6/9}$ F♯m
$\frac{4}{4}$| / / / / | / / / / | / / / / | / / / /

Em$^{6/9}$ F♯m Em$^{6/9}$
| / / / / | / / / / | / / / / | / / / /

F♯m Em$^{6/9}$
| / / / / | / / / /

Verse 3

| F♯ | | G
Yeah, I heard a funny thing:
| | F♯
Somebody said to me,
| | Em | A | D | Bm
'You know that I could be in love with almost everyone.
| A | Bm | F♯ | G
I think that people are the greatest fun.'
| | A* G/A A* | G/A A* | G | D Dsus^4
And I will be alone again tonight, my dear.

Coda

Gadd^9/D
| / / / / $\frac{6}{4}$| / / / / / /

Em$^{6/9}$
$\frac{4}{4}$| / / / / | / / / / | / / / / | / / / / / |

| / / / ||

Another Brick In The Wall Part II

Words and Music by
GEORGE ROGER WATERS

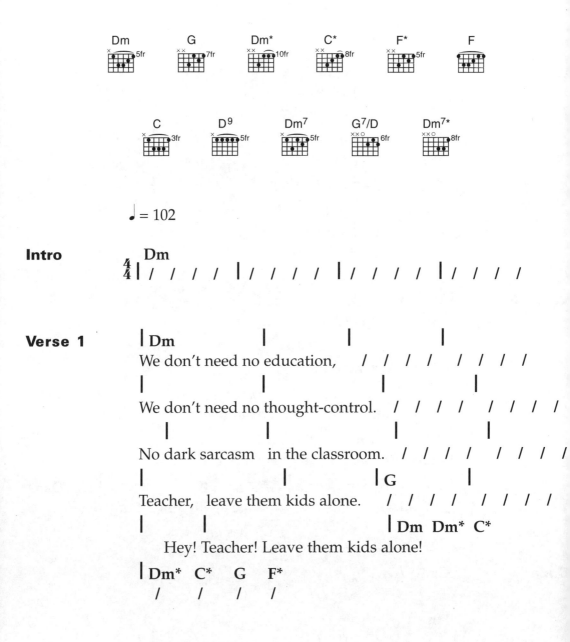

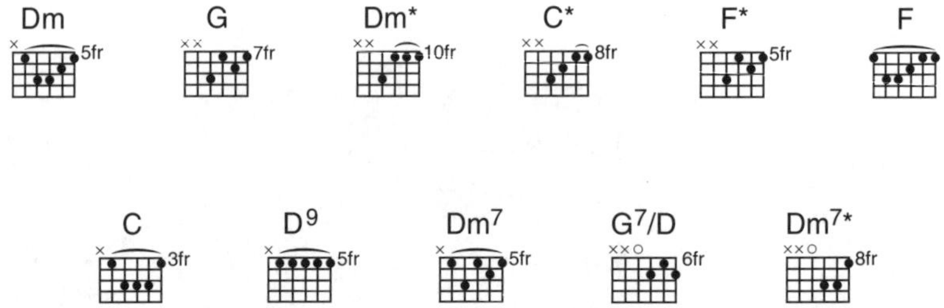

♩ = 102

Intro

```
    Dm
4/4 | / / / / | / / / / | / / / / | / / / /
```

Verse 1

```
| Dm                        |              |                    |
We don't need no education,         / / / /   / / / /
|                           |              |                    |
We don't need no thought-control.   / / / /   / / / /
  |                         |              |                    |
No dark sarcasm  in the classroom.  / / / /   / / / /
|                           |              | G                  |
Teacher,  leave them kids alone.    / / / /   / / / /
|          |                                  | Dm  Dm*  C*
   Hey! Teacher! Leave them kids alone!
| Dm*   C*   G   F*
   /    /    /   /
```

Chorus

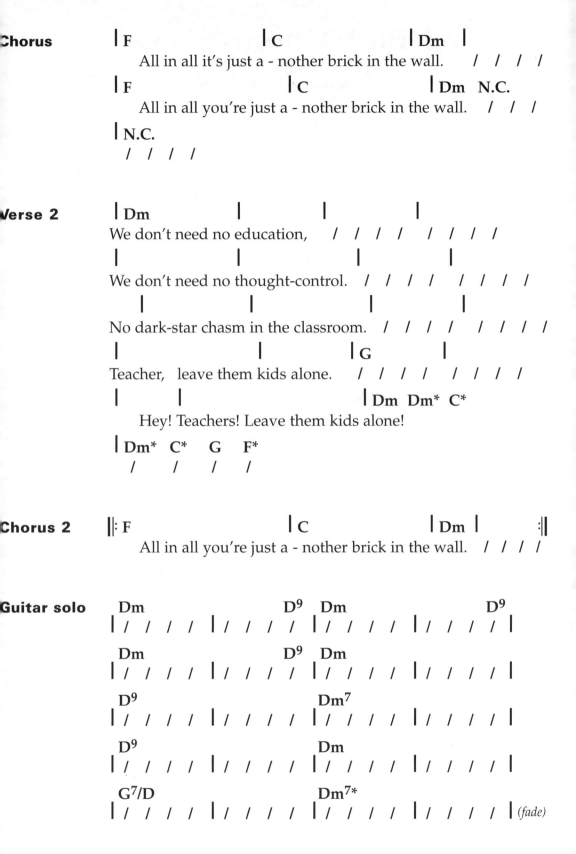

| F | C | Dm |
All in all it's just a - nother brick in the wall. / / / /
| F | C | Dm N.C.
All in all you're just a - nother brick in the wall. / / /
| N.C.
/ / / /

Verse 2

| Dm | | |
We don't need no education, / / / / / / / /
| | | |
We don't need no thought-control. / / / / / / / /
| | | |
No dark-star chasm in the classroom. / / / / / / / /
| | | G |
Teacher, leave them kids alone. / / / / / / / /
| | | Dm Dm* C*
Hey! Teachers! Leave them kids alone!
| Dm* C* G F*
/ / / /

Chorus 2

||: F | C | Dm | :||
All in all you're just a - nother brick in the wall. / / / /

Guitar solo

Dm D9 Dm D9
| / / / / | / / / / | / / / / | / / / / |

Dm D9 Dm
| / / / / | / / / / | / / / / | / / / / |

D9 Dm7
| / / / / | / / / / | / / / / | / / / / |

D9 Dm
| / / / / | / / / / | / / / / | / / / / |

G7/D Dm7*
| / / / / | / / / / | / / / / | / / / / | *(fade)*

Bad Moon Rising

Words and Music by
JOHN FOGERTY

♩ = 87

Intro

4/4 | D* A G | D
| / / / / | / / / /

Verse 1

| D A G | D
I see the bad moon rising.
| D A G | D
I see trouble on the way.
| D A G | D
I see earthquakes and lightning.
| D A G | D
I see bad times today.

Chorus

| G
Don't go around tonight,
| D
Well, it's bound to take your life.
| A^7 G | D
There's a bad moon on the rise.

Verse 2

|D A G |D
I hear hurricanes a-blowing.
|D A G |D
I know the end is coming soon.
|D A G |D
I fear rivers over-flowing.
|D A G |D
I hear the voice of rage and ruin.

Chorus 2

|G
Don't go around tonight,
|D
Well, it's bound to take your life.
|A^7 G |D
There's a bad moon on the rise.

All right!

Solo

D* A^7 G^7 D D* A^7 G^7 D
| / / / / | / / / / | / / / / | / / / / |

G D A G D
| / / / / | / / / / | / / / / | / / / /

Verse 3

|D A G |D
Hope you got your things together.
|D A G |D
Hope you are quite prepared to die.
|D A G |D
Looks like we're in for nasty weather.
|D A G |D
One eye is taken for an eye.

Chorus 3

| G
Don't go around tonight,
| D
Well, it's bound to take your life.
| A7 G | D
There's a bad moon on the rise.

Chorus 4

| G
Don't come around tonight,
| D
Well, it's bound to take your life.
| A7 G | D ‖
There's a bad moon on the rise.

Black Magic Woman

Words and Music by
PETER GREEN

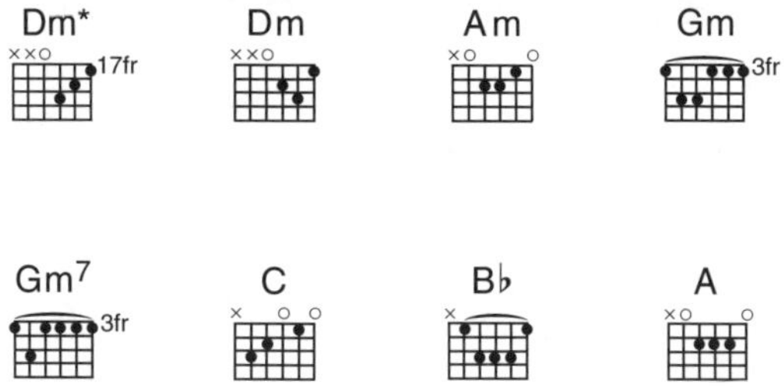

♩ = 126

ntro

```
     Dm*
4/4 | /  /  /  / | /  /  /  / | /  /  /  /
```

Verse 1

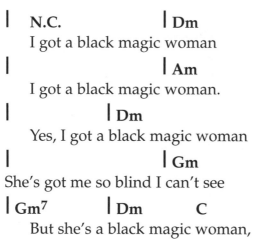

```
|    N.C.                 | Dm
     I got a black magic woman
|                         | Am
     I got a black magic woman.
|                | Dm
     Yes, I got a black magic woman
|                         | Gm
She's got me so blind I can't see
| Gm7            | Dm          C
     But she's a black magic woman,
        | B♭            A          | Dm          |    Dm*
She's tryin' to make a devil out of me.  /   /   /   /
```

Verse 2

| N.C. | Dm
Don't turn your back on me, baby.
| | Am
Don't turn your back on me, baby.
| | Dm
Yes, don't turn your back on me, baby,
| | Gm
Don't mess around with your tricks.
| Gm7 | Dm C
Don't turn your back on me, baby,
| B♭ A | Dm
You might just wake up my magic sticks.

Dm*
| / / / / | / / / / | / / / /

Guitar solo

N.C. Dm Am
/ / / / | / / / / | / / / / | / / / /

Dm Gm
| / / / / | / / / / | / / / / | / / / /

Gm7 Dm C B♭ A Dm
| / / / / | / / / / | / / / / | / / / /

Am
| / / / / | / / / / | / / / /

Dm Gm
| / / / / | / / / / | / / / / | / / / /

Gm7 Dm C B♭ A Dm*
| / / / / | / / / / | / / / / | / / / /

erse 3

| N.C. | Dm
You got your spell on me, baby.

| | Am
You got your spell on me, babe.

| | Dm
Yes, you got your spell on me, baby,

| | Gm
Turnin' my heart into stone.

| Gm7 | Dm C | B♭
I need you so bad – magic woman

A | Dm | N.C. |
I can't leave you alone.

Both Sides Now

Words and Music by
JONI MITCHELL

D Dsus4/6 Dmaj7 Dsus4/9 Dsus4/9* D*

Capo 4th fret
Open D tuning (D A D F♯ A D)

♩ = 94

Intro

```
      D             Dsus4/6
4/4 | /    /    /    /    | ./. | ./. | ./. |
```

Verse 1

```
| Dmaj7           Dsus4/6 | Dsus4/9  D      Dsus4/6
          Rolls and flows of angel       hair,
    | D            | Dsus4/9* |  D*
And ice-cream castles          in the air,
    | Dmaj7       Dsus4/6  | Dsus4/9
And feather       canyons            everywhere,
| Dmaj7                 Dsus4/6     | Dsus4/9
          I've looked at clouds that way.
| Dmaj7                 Dsus4/6 | Dsus4/9  D
          But now they only      block the  sun.
Dsus4/6        | D              Dsus4/9* |    D*      Dsus4/9*
          They rain and snow on          ev - eryone.____
   | Dmaj7  Dsus4/6  | Dsus4/9
So many     things  I          would've done
| Dmaj7              Dsus4/6   | Dsus4/9*
          But clouds got in my way.
```

horus

| D D* Dsus$^{4/9*}$ | D D* Dsus$^{4/9*}$
I've looked at clouds from both sides now,
| D* Dsus$^{4/9*}$ D | D* Dsus$^{4/9*}$
From up and down, and still somehow
D | Dmaj^7 Dsus$^{4/6}$ | D Dsus$^{4/9}$ D
It's cloud illusions I re - call.
| Dmaj^7 Dsus$^{4/6}$ Dsus$^{4/9}$ | | D Dsus$^{4/6}$ |
I really don't know clouds_____ at all.

ink

D Dmaj^7 Dsus$^{4/6}$ D Dsus$^{4/6}$ D Dsus$^{4/6}$
| / / / / | / / / / | / / / / |

erse 2

| Dmaj^7 Dsus$^{4/6}$ | Dsus$^{4/9}$ D Dsus$^{4/6}$
Moons and Junes and ferris - wheels,
| D | Dsus$^{4/9*}$ | D* Dsus$^{4/9*}$
The dizzy, dancing way you feel_____
| Dmaj^7 Dsus$^{4/6}$ | Dsus$^{4/9}$
As every fairy - tale comes real –
| Dmaj^7 Dsus$^{4/6}$ | Dsus$^{4/9}$
I've looked at love that way.
| Dmaj^7 Dsus$^{4/6}$ | Dsus$^{4/9}$ D
But now it's just another show.
Dsus$^{4/6}$ | D Dsus$^{4/9*}$ | D* Dsus$^{4/9*}$
You leave 'em laughing when you go.
| Dmaj^7 Dsus$^{4/6}$ | Dsus$^{4/9}$
And if you care, don't let them know,
| Dmaj^7 Dsus$^{4/6}$ | Dsus$^{4/9}$
Don't give yourself away.

Chorus 2

| D D* Dsus$^{4/9}$* | D D* Dsus$^{4/9}$*
I've looked at love from both sides now,
| D* Dsus$^{4/9}$* D | D* Dsus$^{4/9}$*
From give and take, and still somehow
D | Dmaj^7 Dsus$^{4/6}$ | D Dsus$^{4/9}$ D
It's love's illusions I re - call.
| Dmaj^7 Dsus$^{4/6}$ Dsus$^{4/9}$ | | D Dsus$^{4/6}$ |
I really don't know love____ at all.

Link

D Dmaj^7 Dsus$^{4/6}$ D Dsus$^{4/6}$ D Dsus$^{4/}$
| / / / / | / / / / | / / / /

Verse 3

| Dmaj^7 Dsus$^{4/6}$ | Dsus$^{4/9}$ D
Tears and fears and feeling proud,
Dsus$^{4/6}$ | D | Dsus$^{4/9}$* | D* Dsus$^{4/9}$*
To say 'I love you' right out loud._____
| Dmaj^7 Dsus$^{4/6}$ | Dsus$^{4/9}$
Dreams and schemes and circus crowds
| Dmaj^7 Dsus$^{4/6}$ | Dsus$^{4/9}$
I've looked at life that way.
| Dmaj^7 Dsus$^{4/6}$ | Dsus$^{4/9}$ D
But now old friends are acting strange:
Dsus$^{4/6}$ | D
They shake their heads,
Dsus$^{4/9}$* | D* Dsus$^{4/9}$*
They say I've changed._____
| Dmaj^7 Dsus$^{4/6}$ | Dsus$^{4/9}$
Well, something's lost but something's gained
| Dmaj^7 Dsus$^{4/6}$ | Dsus$^{4/9}$
In living every - day.

Chorus 3

| D D* Dsus$^{4/9*}$ | D D* Dsus$^{4/9*}$
I've looked at life from both sides now
| D* Dsus$^{4/9*}$ D | D* Dsus$^{4/9*}$
From win and lose,__ and still______ somehow
D | Dmaj^7 Dsus$^{4/6}$ | D Dsus$^{4/9}$ D
It's life's illusions I re - call.
| Dmaj^7 Dsus$^{4/6}$ Dsus$^{4/9}$ | | D Dsus$^{4/6}$ |
I really don't know life at all.

Link

D Dmaj^7 Dsus$^{4/6}$ D Dsus$^{4/6}$ D Dsus$^{4/6}$
| / / / / | / / / / | / / / / |

Chorus 4

| D* Dsus$^{4/9*}$ | D D* Dsus$^{4/9*}$
I've looked at life from both sides now
| D* Dsus$^{4/9*}$ D | D* Dsus$^{4/9*}$
From up and down, and still somehow
D | Dmaj^7 Dsus$^{4/6}$ | D Dsus$^{4/9}$ D
It's____ life's illusions I re - call.
| Dmaj^7 Dsus$^{4/6}$ Dsus$^{4/9}$ | | D Dsus$^{4/6}$ |
I really don't know life_________ at all.

Coda

D Dmaj^7 Dsus$^{4/6}$ D Dsus$^{4/6}$ x5
| / / / / ||: / / / / :||
D Dmaj^7 Dsus$^{4/6}$ D Dsus$^{4/6}$ D
| / / / / | / / / / | / ||

Brain Damage/Eclipse

Words and Music by
GEORGE ROGER WATERS

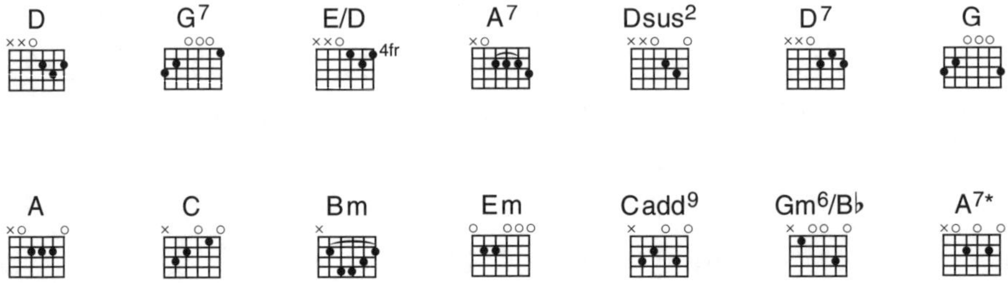

♩ = 65

Intro

D
4/4 | / / / / | / / / / | / / / / | / / / /

Verse 1

| | G7
The lunatic is on the grass,
| D | G7
The lunatic is on the grass
| D | E/D
Remembering games and daisy chains and laughs.
| A7 | D Dsus2
Got to keep the loonies on the path.

Verse 2

| D | G7
The lunatic is in the hall,
| D | G7
The lunatics are in my hall.
| D | E/D
The paper holds their folded faces to the floor
| A7 | D Dsus2 | D7
And every day the paper boy brings more. / / /

Chorus

| G | A
And if the dam breaks open many years too soon
| C | G
And if there is no room upon the hill
| | A
And if your head explodes with dark forebodings too
| C | G Bm | Em A
I'll see you on the dark side of the moon. / / / /

Verse 3

| D | G^7
The lunatic is in my head,
| D | G^7
The lunatic is in my head.
| D | E/D
You raise the blade, you make the change;
| A^7 | D $Dsus^2$
You re-arrange me 'til I'm sane.
| D
You lock the door
| E/D
And throw away the key.
| A^7 | D $Dsus^2$ | D^7
There's someone in my head but it's not me.

Chorus 2

| G | A
And if the cloud bursts, thunder in your ear
| C | G
You shout and no-one seems to hear.
| | A
And if the band you're in starts playing different tunes
| C | G Bm | Em A
I'll see you on the dark side of the moon. / / / /

Coda

D	G7	D	G7
/ / / /	/ / / /	/ / / /	/ / / /
D	E/D	A7	D Dsus2
/ / / /	/ / / /	/ / / /	/ / / /
D	E/D	A7	D Dsus2
/ / / /	/ / / /	/ / / /	/ / / / ‖

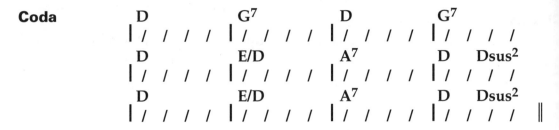

segue into **ECLIPSE**

♩. = 45

Intro 6/8

D	Cadd9	Gm6/B♭	A7*
/ / / / / /	/ / / / / /	/ / / / / /	/ / / / / /

Verse

| **D**
All that you touch
| **Cadd9**
And all that you see
| **Gm6/B♭**
And all that you taste,
| **A7***
All you feel,
| **D**
And all that you love
| **Cadd9**
And all that you hate
| **Gm6/B♭**
All you distrust
| **A7***
All you save
| **D**
And all that you give
| **Cadd9**
And all that you deal
| **Gm6/B♭**
And all that you buy,

| **A^{7*}**
Beg, borrow or steal,
| **D**
And all you create
| **Cadd^{9}**
And all you destroy
| **Gm^{6}/B♭**
And all that you do
| **A^{7*}**
And all that you say
| **D**
And all that you eat,
| **Cadd^{9}**
And everyone you meet
| **Gm^{6}/B♭**
And all that you slight,
| **A^{7*}**
And everyone you fight
| **D**
And all that is now
| **Cadd^{9}**
And all that is gone
| **Gm^{6}/B♭**
And all that's to come
| **A^{7*}** | **D**
And everything under the sun is in tune
| **Cadd^{9}** | **Gm^{6}/B♭** | **D** ‖
But the sun is eclipsed by the moon.____________

Break On Through

Words and Music by
JIM MORRISON, RAYMOND MANZAREK,
JOHN DENSMORE AND ROBERT KRIEGER

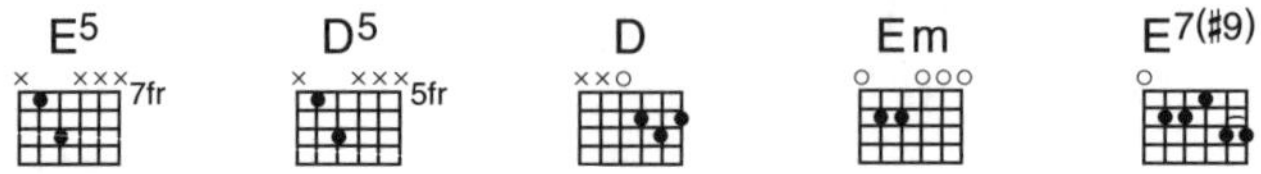

♩ = 170

Intro

N.C. E5 D5 E5 D5 E5 D5
4/4 | *drums only* ||: / / / / | / / / / | / / / /

E5 D5 E5 D5
| / / / / | / / / /

Verse 1

| E5 D5 | E5 D5 | E5 D5
You know the day destroys the night,
| E5 D5 | E5 D5
Night divides the day.
| D |
Tried to run, tried to hide.

Chorus

| Em |
Break on through to the other side,
| |
Break on through to the other side,
| |
Break on through to the other side, yeah.

Link

E5 D5 E5 D5 E5 D5 E5 D5
| / / / / | / / / / | / / / / | / / / /

Verse 2

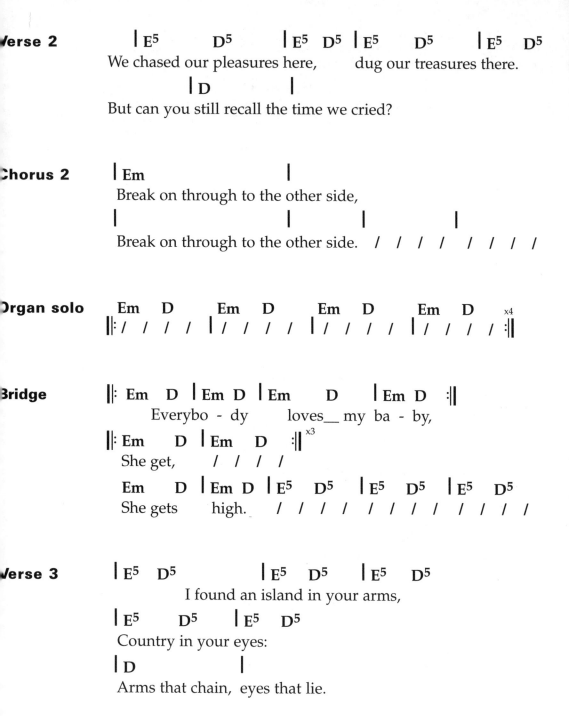

```
 | E5        D5        | E5  D5 | E5      D5       | E5   D5
We chased our pleasures here,    dug our treasures there.
            | D            |
But can you still recall the time we cried?
```

Chorus 2

```
 | Em                     |
 Break on through to the other side,
 |                        |          |            |
 Break on through to the other side.  /  /  /  /   /  /  /  /
```

Organ solo

```
 Em    D       Em    D       Em    D       Em    D     x4
||: /  /  /  /  | /  /  /  /  | /  /  /  /  | /  /  /  / :||
```

Bridge

```
||: Em    D  | Em  D | Em      D     | Em  D  :||
       Everybo - dy        loves__ my  ba  -  by,
||: Em      D  | Em     D    :|| x3
  She get,       /  /  /  /
  Em      D  | Em  D | E5    D5    | E5    D5    | E5    D5
  She gets     high.   /  /  /  /    /  /  /  /    /  /  /  /
```

Verse 3

```
 | E5   D5               | E5    D5    | E5    D5
              I found an island in your arms,
 | E5      D5      | E5    D5
 Country in your eyes:
 | D               |
 Arms that chain,  eyes that lie.
```

Chorus 3

| Em | |
Break on through to the other side,
| |
Break on through to the other side,
| |
Break on through, oh!
| |
Oh, yeah! / / / /

Link

E7(♯9)
| / / / / | / / / / | / / / / | / / / /

Verse 4

| E7(♯9) |
Made the scene, week to week,
| |
Day to day, hour to hour.
| D |
The gate is straight, deep and wide.

Chorus 4

| Em |
Break on through to the other side,
| |
Break on through to the other side,
| |
Break on through, break on through,
| |
Break on through, break on through.
| |
Yeah, yeah, yeah, yeah,
| | | ‖
Yeah, yeah, yeah, yeah, yeah.

Cocaine

Words and Music by
J. J. CALE

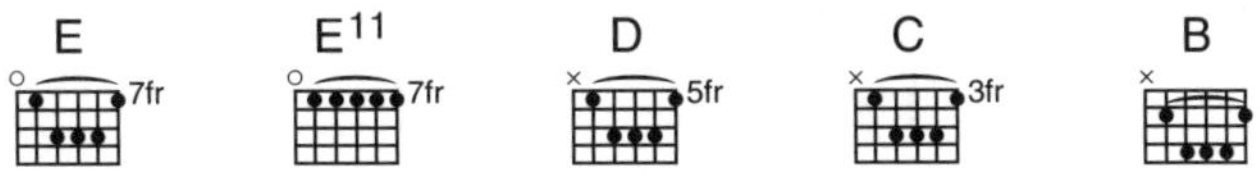

♩ = 102

Intro

4/4 | E E^{11} E / / / / | D / / / / | E E^{11} E / / / / | D / / / /

| E E^{11} E / / / / | D / / / / | E E^{11} E / / / /

Verse 1

| D | E E^{11} E
If you wanna hang out,
| D | E E^{11} E
You've got to take her out, cocaine.
| D | E E^{11} E
If you wanna get down,
| D | E E^{11} E
Down on the ground, cocaine.
| D E | D
She don't lie, she don't lie,
C | B N.C. | E E^{11} E
She don't lie, cocaine.

Link

| D / / / / | E E^{11} E / / / /

Verse 2

| D | E E^{11} E
If you've got bad news,
| D | E E^{11} E
You wanna kick them blues, cocaine.
| D | E E^{11} E
When your day is done
| D | E E^{11} E
And you wanna ride on, cocaine.
| D   E | D
She don't lie, she don't lie,
C | B N.C. | E E^{11} E
She don't lie, cocaine.

Link/Solo

D   E E^{11} E   D
| / / / / | / / / / | / / / / |

E E^{11} E   D   E E^{11} E   D   x5
||: / / / / | / / / / | / / / / | / / / / :||

E E^{11} E   D   E E^{11} E
| / / / / | / / / / | / / / /

Verse 3

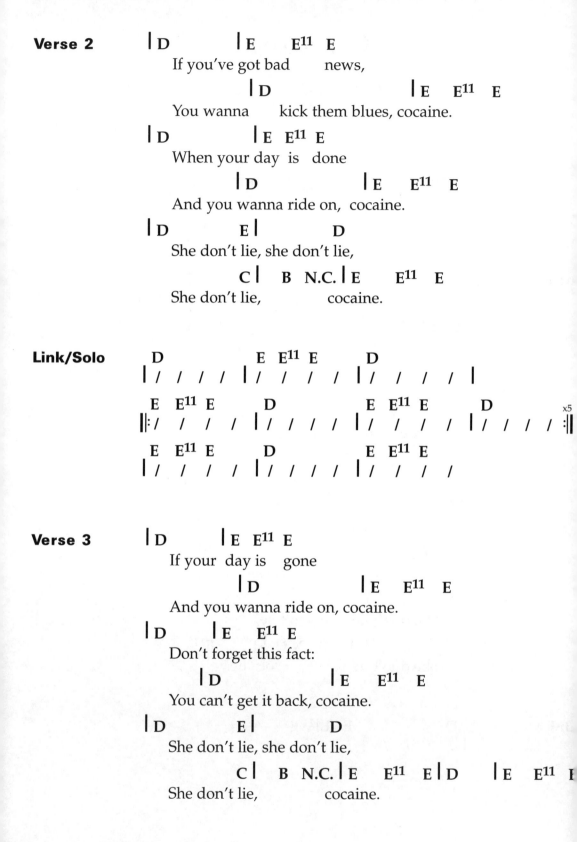

| D | E E^{11} E
If your day is gone
| D | E E^{11} E
And you wanna ride on, cocaine.
| D | E E^{11} E
Don't forget this fact:
| D | E E^{11} E
You can't get it back, cocaine.
| D   E | D
She don't lie, she don't lie,
C | B N.C. | E E^{11} E | D | E E^{11} E
She don't lie, cocaine.

| D E | D
She don't lie, she don't lie
C | B N.C. | E E^{11} E | D | E E^{11} E | D
She don't lie, co - caine.

Coda/Solo

E E^{11} E | D | E E^{11} E | D
||: / / / / | / / / / | / / / / | / / / / :||

Repeat ad lib. to fade

California Dreamin'

Words and Music by
JOHN PHILLIPS AND MICHELLE PHILLIPS

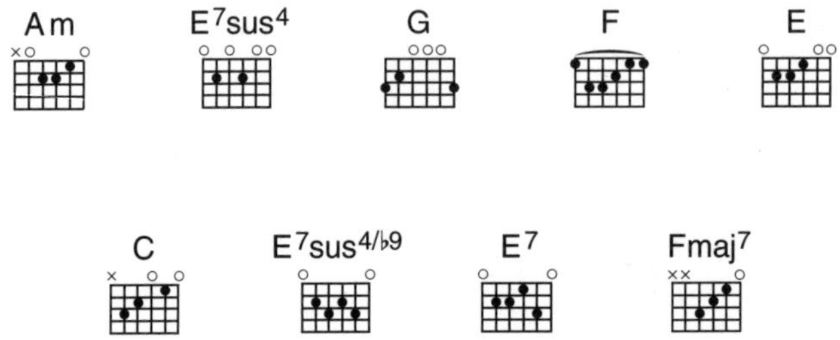

♩ = 112 **Capo 4th fret (tune slightly sharp)**

Intro

Am E7sus4
4/4 | / / / / | / / / / | / / / / |

Verse 1

| Am G | F
All the leaves are brown
(all the leaves are brown)

G | E7sus4 | E
And the sky is grey (and the sky is grey).___

F | C E | Am
I've been for a walk
___ (I've been for a walk)

F | E7sus4/♭9 | E
On a winter's day (on a winter's day).

| Am G | F
I'd be safe and warm
(I'd be safe and warm)

G | E7sus4 | E
If I was in L.A. (if I was in L.A.).

Chorus

| Am G | F
California dreaming
(California dreaming)

G | E7sus4 |
On such a winter's day.______

Verse 2

| Am G
Stopped into a church

| F G | E7sus4 | E
I passed along the way.

F | C E | Am
Well I got down on my knees
(got down on my knees)

F | E7sus4/♭9 | E
And I pretend to pray (I pretend to pray).

| Am G | F
You know the preacher likes the cold
(preacher likes the cold)

G | E7sus4 | E
He knows I'm gonna stay (knows I'm going to stay)

Chorus 2

| Am G | F
California dreaming
(California dreaming)

G | E7sus4 |
On such a winter's day.______

Instrumental

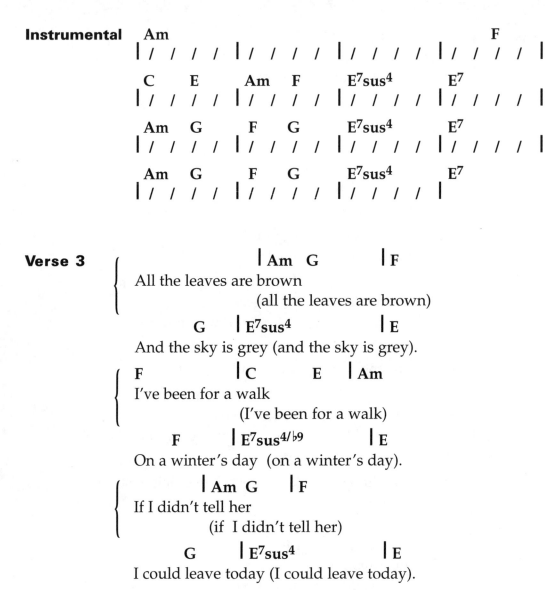

Am F
| / / / / | / / / / | / / / / | / / / / |

C E Am F E^7sus^4 E^7
| / / / / | / / / / | / / / / | / / / / |

Am G F G E^7sus^4 E^7
| / / / / | / / / / | / / / / | / / / / |

Am G F G E^7sus^4 E^7
| / / / / | / / / / | / / / / |

Verse 3

| Am G | F
All the leaves are brown
(all the leaves are brown)

G | E^7sus^4 | E
And the sky is grey (and the sky is grey).

F | C E | Am
I've been for a walk
(I've been for a walk)

F | $E^7sus^{4/\flat9}$ | E
On a winter's day (on a winter's day).

| Am G | F
If I didn't tell her
(if I didn't tell her)

G | E^7sus^4 | E
I could leave today (I could leave today).

Chorus 3

```
            | Am   G    | F
California dreaming
               (California dreaming)

     G              | Am G    | F
On such a winter's day.
                    (California dreaming)

     G              | Am G    | F
On such a winter's day.
                    (California dreaming)

     G             | Fmaj7     |          | Am   ||
On such a winter's day.__________
```

Cosmic Dancer

Words and Music by
MARC BOLAN

♩ = 72

Verse 1

4/4 | G | Em
I was dancing when I was twelve,
| G | Em
I was dancing when I was twelve.
| F | C
I was dancing when I was aaah,
| F | C
I was dancing when I was aaah.

Verse 2

| G | Em
I danced myself right out the womb,
| G | Em
I danced myself right out the womb.
| F | C
Is it strange to dance so soon?
| F | C
I danced myself right out the womb.

erse 3

G Em
I was dancing when I was eight,
G Em
I was dancing when I was eight.
F C
Is it strange to dance so late?
F C
Is it strange to dance so late?
Am D^7
Oh,___ oh, oh, oh.

'erse 4

G Em
I danced myself into the tomb,
G Em
I danced myself into the tomb.
F C
Is it strange to dance so soon?
F C
I danced myself into the tomb.

'erse 5

G Em
Is it wrong to understand
G Em
The fear that dwells inside a man?___
F C
What's it like to be a loon?
F C
I liken it to a balloon.
Am D^7
Oh,___ oh, oh, oh.

Verse 6

| G | Em
I danced myself out of the womb,
| G | Em
I danced myself out of the womb.
| F | C
Is it strange to dance so soon?
| F | C
I danced myself into the tomb.

And then again once more:

Verse 7

| G | Em
I danced myself out of the womb,
| G | Em
I danced myself out of the womb.
| F | C
Is it strange to dance so soon?
| F | C
I danced myself out of the womb.
| Am | D7
Oh,___ oh, oh, oh.

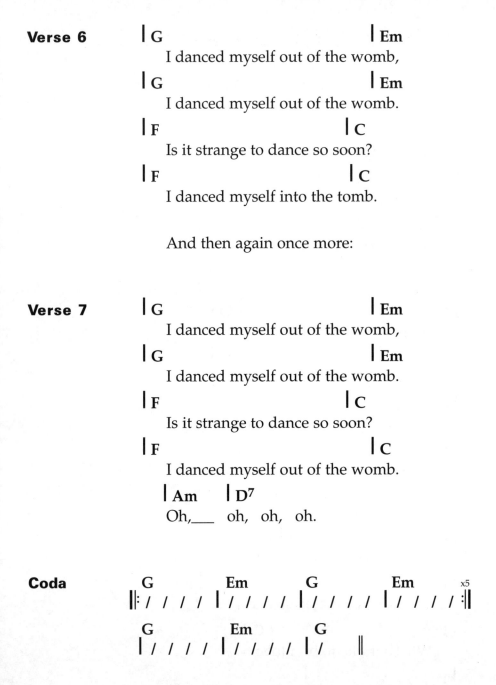

Coda

G Em G Em x5
||: / / / / | / / / / | / / / / | / / / / :||

G Em G
| / / / / | / / / / | / ||

Crazy Little Thing Called Love

Words and Music by
FREDDIE MERCURY

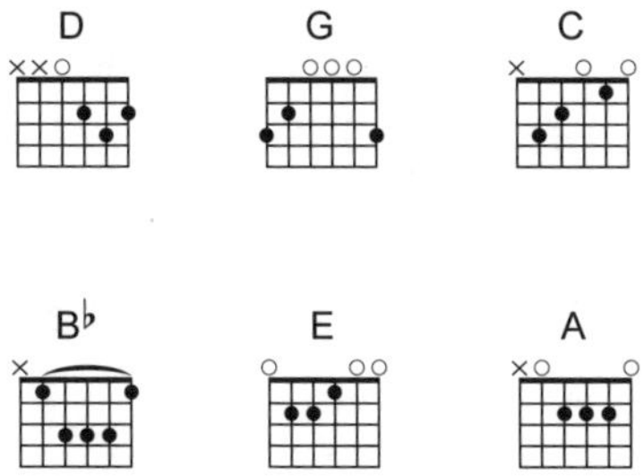

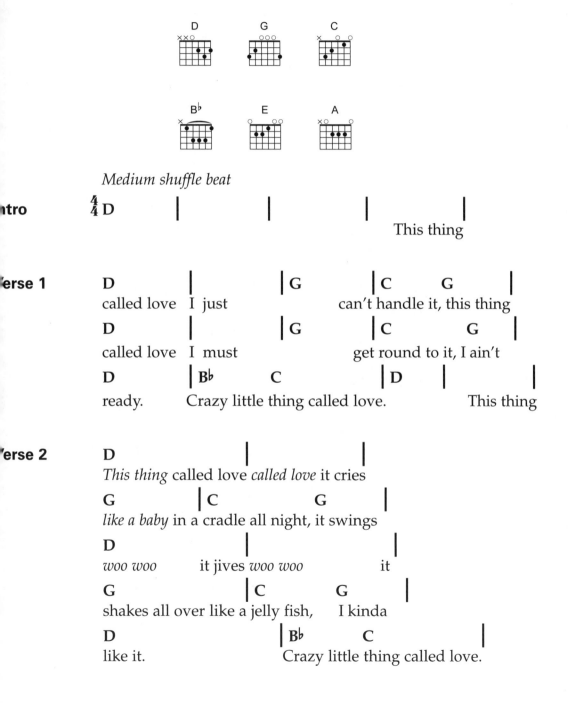

Medium shuffle beat

Intro 4/4 **D** | | | |
This thing

Verse 1
D | | **G** | **C** **G** |
called love I just can't handle it, this thing
D | | **G** | **C** **G** |
called love I must get round to it, I ain't
D | **B♭** **C** | **D** | |
ready. Crazy little thing called love. This thing

Verse 2
D | |
This thing called love *called love* it cries
G | **C** **G** |
like a baby in a cradle all night, it swings
D | |
woo woo it jives *woo woo* it
G | **C** **G** |
shakes all over like a jelly fish, I kinda
D | **B♭** **C** |
like it. Crazy little thing called love.

D | |
There goes my

Chorus 1

| G | | C | G
baby, she knows how to rock 'n' roll. She drives n

B♭ | |
crazy she gives me

E A | F |
hot and cold fever, then she leaves me in a cool, cool sweat.

N.C. | | E | A
I gotta be co

Verse 3

D | | G | C G
relax, get hip, get on my tracks, take a

D | |
backseat, hitch-hike, and

G | C G |
take a long ride on my motorbike until I'm

D | B♭ C | D |
ready. Crazy little thing called love. There goes r

Chorus 1

(as Chorus 1)

Verse 4

D | | G | C G
relax, get hip, get on my tracks, take a

D | |
backseat, hitch-hike, and

G | C G |
take a long ride on my motorbike until I'm

D | B♭ C |
ready. *Ready Freddie.* Crazy little thing called love.

D | |
This thing

erse 5

```
D          |          | G          | C           G    |
called love  I just              can't handle it,  this thing
D          |          | G       | C           G   |
called love  I  must              get round to it, I ain't
D          | B♭        C          | D         |
ready.     Crazy little thing called love.
B♭         C             | D         |
Crazy little thing called love,
```

(Repeat last two bars till fade)

Daydream Believer

Words and Music by
JOHN STEWART

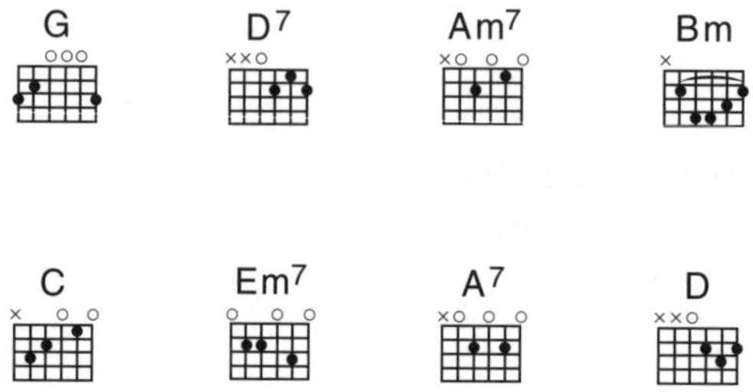

♩ = 122

Intro

4/4 | G / / / / | D7 / / / / | G / / / / |

Verse 1

| D7 | G | Am7
Oh, I could hide 'neath the wings
| Bm | C
Of the bluebird as she sings,
| G | Em7 | A7
The six o'clock alarm would never ring.
| D7 | G | Am7
But it rings and I rise,
| Bm | C
Wipe the sleep out of my eyes,
| G Em7 | Am7 D7 | G D G
My shaving razor's cold and it stings.
| Am7 G D Em |
/ / / /

horus

| C D | Bm | C D | Em
Cheer up, sleepy Jean, oh, what can it mean
C | G | C | G Em^7 | A^7 | D^7
To a daydream believer and a homecoming queen?___

erse 2

| G | Am^7
You once thought of me
| Bm | C
As a white knight on his steed,
| G | Em^7 | A^7
Now you know how happy I can be.
| D^7 | G | Am^7
Whoa, and our good times starts and end
| Bm | C
Without dollar one to spend,
| G Em^7 | Am^7 D^7 | G D G
But how much, baby, do we really need?
| Am^7 G D Em |
/ / / /

horus 2

| C D | Bm | C D | Em
Cheer up, sleepy Jean, oh, what can it mean
C | G | C | G Em^7 | A^7 | D^7
To a daydream believer and a homecoming queen?___

horus 3

| C D | Bm | C D | Em
Cheer up, sleepy Jean, oh, what can it mean
C | G | C | G Em^7 | A^7 | D^7
To a daydream believer and a homecoming queen?___

Link G D^7 G D^7
| / / / / | / / / / | / / / / | / / / / |

Chorus ||: C D | Bm | C D | Em
Cheer up, sleepy Jean, oh, what can it mean
C | G | C | G Em^7 | A^7 | D^7
To a daydream believer and a homecoming queen?___
Repeat to fa

Days

Words and Music by
RAYMOND DAVIES

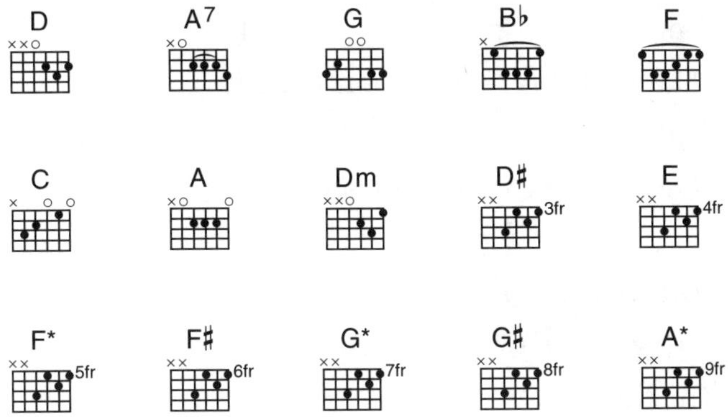

♩ = 100

Intro

D
4/4 | / / / / | / / / / |

Chorus

| D |
Thank you for the days,
| A^7 G | D G D A^7 | D
Those endless days, those sacred days you gave me.
|
I'm thinking of the days,
| A^7 G | D G D A^7
I won't forget a single day, believe me.

Chorus 2

| D G | D
I bless the light,
G | D G D A^7
I bless the light that lights on you, believe me.

| D G | D
And though you're gone,

G | D G D A^7 | D
You're with me every single day, believe me. / / / /

Verse 1

| B♭ F | C
Days I'll remember all my life,

| B♭ F | C
Days when you can't see wrong from right.

B♭ | F
You took my life,

B♭ | F B♭ F C
But then I knew that very soon you'd leave me.

| F B♭ | F
But it's all right,

B♭ | F B♭ F C
Now I'm not frightened of this world, believe me.

Bridge

| F | A A^7 | Dm
I wish today could be tomorrow,

| A A^7
The night is dark,

$\frac{2}{4}$ | Dm C $\frac{4}{4}$ | B♭
It just brings sorrow, let it wait.

Chorus 3

| A | D
Thank you for the days,

| A^7 G | D G D A^7 | D
Those endless days, those sacred days you gave me.

|
I'm thinking of the days,

| A^7 G | D G D A^7 | D
I won't forget a single day, believe me. / / / /

erse 2

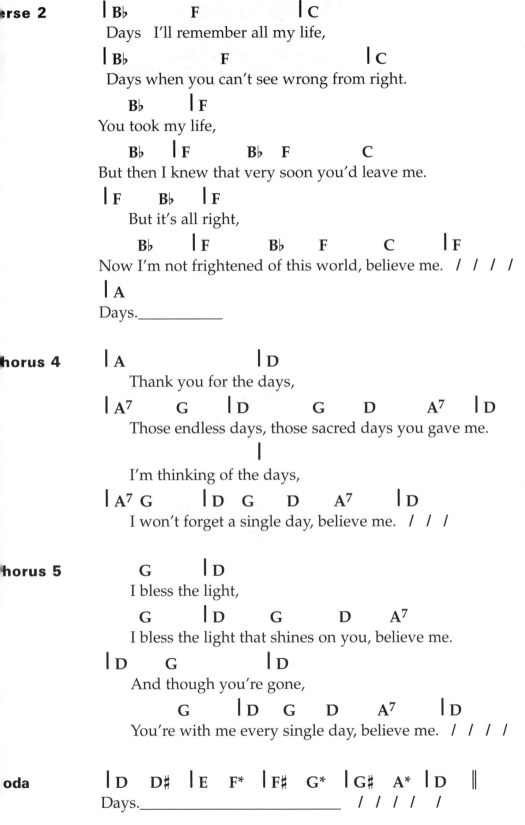

| B♭ F | C
Days I'll remember all my life,
| B♭ F | C
Days when you can't see wrong from right.
B♭ | F
You took my life,
B♭ | F B♭ F C
But then I knew that very soon you'd leave me.
| F B♭ | F
But it's all right,
B♭ | F B♭ F C | F
Now I'm not frightened of this world, believe me. / / / /
| A
Days.__________

horus 4

| A | D
Thank you for the days,
| A^7 G | D G D A^7 | D
Those endless days, those sacred days you gave me.
|
I'm thinking of the days,
| A^7 G | D G D A^7 | D
I won't forget a single day, believe me. / / /

horus 5

G | D
I bless the light,
G | D G D A^7
I bless the light that shines on you, believe me.
| D G | D
And though you're gone,
G | D G D A^7 | D
You're with me every single day, believe me. / / / /

oda

| D D♯ | E F* | F♯ G* | G♯ A* | D ‖
Days.________________________ / / / / /

Desperado

Words and Music by
DON HENLEY AND GLENN FREY

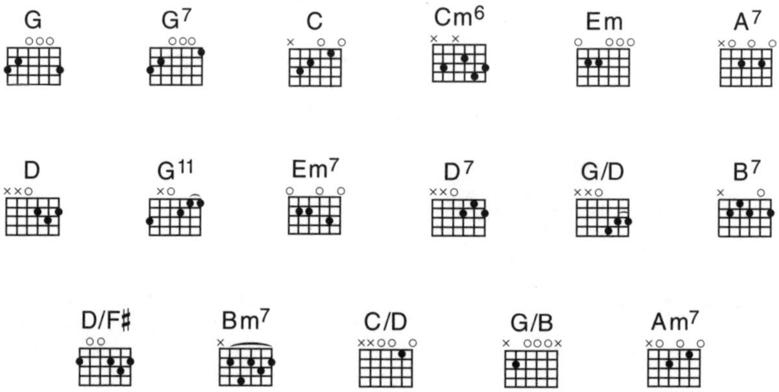

♩ = 55

Intro

```
    G     G7      C    Cm6     G     Em      A7    D
4/4 | /  /  /  /  | /  /  /  /  | /  /  /  /  | /  /  /  /  |
```

Chorus

```
N.C.        |G    G11                 |C                    |Cm6
Desperado,            why don't you come to your senses?
          |G          Em7    |A7    D7
You been out riding fences for so long now.
            |G        G11
Oh, you're a hard one,
                      |C                Cm6
But I know that you got your reasons.
          |G/D     B7      Em7
These things that are pleasing you
  2/4|A7      D7      4/4|G    D/F♯
Can hurt you somehow.
```

Verse 1

| Em Bm7
Don't you draw the queen of diamonds boy
| C G D/F♯
She'll beat you if she's able.___
| Em7 C | G D/F♯
You know the queen of hearts is always your best bet.___
| Em Bm7
Now it seems to me some fine things
| C G
Have been laid upon your table
| Em7 A7 C/D
But you only want the ones that you can't get.

Chorus 2

D7 | G G11 | C G/B Am7
Des-per-a-do, oh, you ain't getting no younger.
| G D/F♯ Em | A7 D7
Your pain and your hun - ger, they're driving you home.____
| G G11
And freedom, oh freedom,
| C G/B
Well that's just some people talking.
Am7 | G B7 Em 2/4 | A7 D7 4/4 | G D/F♯
Your prison is walking through this world all alone.

Verse 2

| Em Bm7
Don't your feet get cold in the winter-time?
| C G D/F♯
The sky won't snow and the sun won't shine.
| Em7 C | G D/F♯
It's hard to tell the night-time from the day.
| Em Bm7
You're losing all your highs and lows,
| C G | Am7 | C/D
Ain't it funny how the feeling goes away?_________

Chorus 3

D7 | G G11 | C G/B Ar
Des-per-a-do, why don't you come to your senses?
| G D/F♯ Em | A7 D7
Come down from your fen - ces, open the gate.
| G G11 | C Cm6
It may be raining but there's a rainbow above you.
| G B7 Em | C G/B Am7
You better let somebody love__ you (let somebody love you),
| G/D B7 Em | C/D
You better let somebody love__ you before it's too

Coda

| G G11 | C Cm6 | G ‖
late. / / / / / / / /

Everybody's Talkin

Words and Music by
FRED NEIL

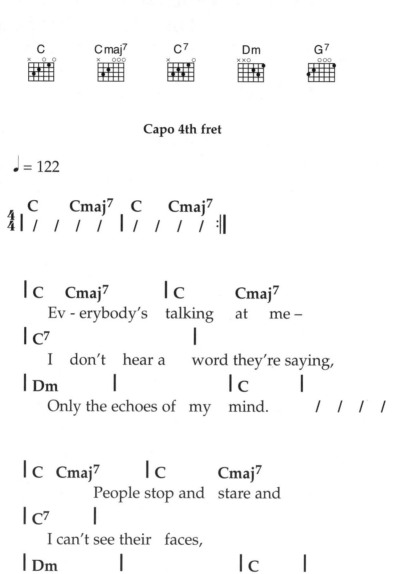

C Cmaj7 C7 Dm G7

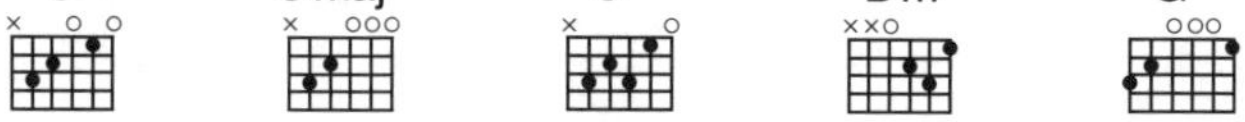

Capo 4th fret

♩ = 122

Intro
$\frac{4}{4}$ | **C** / / **Cmaj7** / / | **C** / / **Cmaj7** / / :||

Verse 1
| **C** **Cmaj7** | **C** **Cmaj7**
Ev - erybody's talking at me –
| **C7** |
I don't hear a word they're saying,
| **Dm** | | **C** |
Only the echoes of my mind. / / / /

Verse 2
| **C** **Cmaj7** | **C** **Cmaj7**
People stop and stare and
| **C7** |
I can't see their faces,
| **Dm** | | **C** |
Only the shadows of their eyes. / / / /

Bridge

| Dm | G^7
I'm going where the sun keeps shining
| C | C^7
Through the pouring rain,
| Dm | G^7 | C Cmaj^7 | C7 C
Going where the weather suits my clothes. / / /
| Dm | G^7
Banking off of the north-east winds,
| C | C^7
Sailing on a summer breeze,
| Dm | G^7 | C Cmaj^7 | C7 C
Skipping over the ocean like a stone. / / / /

Link

(ad lib. scat vocal)
C Cmaj^7 C Cmaj^7 C^7
| / / / / | / / / / | / / / / | / / / /

Dm C
| / / / / | / / / / | / / / / | / / / /

Bridge

| Dm | G^7
I'm going where the sun keeps shining
| C | C^7
Through the pouring rain,
| Dm | G^7 | C Cmaj^7 | C7 C
Going where the weather suits my clothes. / / /
| Dm | G^7
Banking off of the north-east winds,
| C | C^7
Sailing on a summer breeze,
| Dm | G^7 | C Cmaj^7 | C7 C
Skipping over the ocean like a stone. / / / /

Verse 3

| C Cmaj^{7} | C Cmaj^{7}
Everybody's talking at me –
| C^{7} |
Can't hear a word they're saying,
| Dm | | C |
Only the echoes of my mind. / / / /

Coda

| Dm | | C |
I won't let you leave my love behind.____ / / / /
| Dm | | C |
No, I won't let you leave____________________
| Dm | | C |
Wha________________________________
| Dm | | C |
I won't let you leave my love behind. / / / / *(fade)*

Eight Miles High

Words and Music by
GENE CLARK, JAMES McGUINN AND DAVID CROSBY

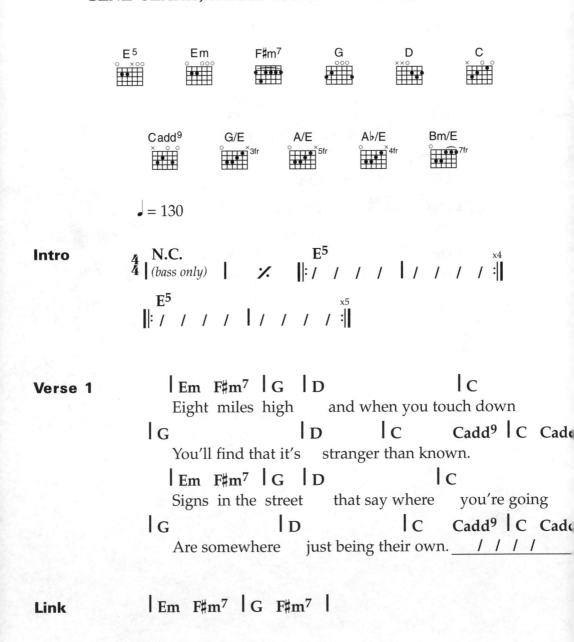

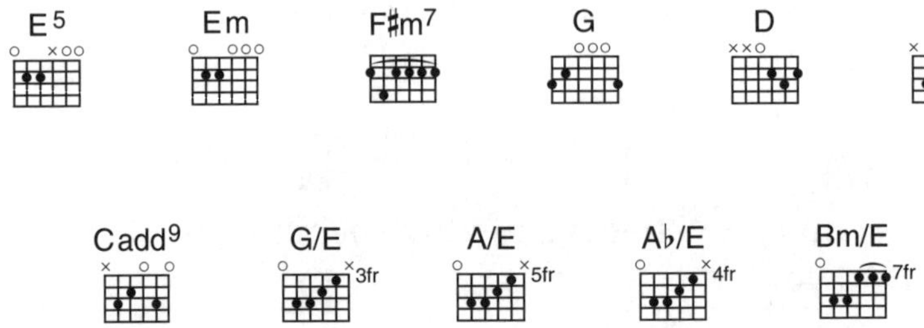

♩ = 130

Intro

4/4 | N.C. (bass only) | ⁒ ||: E5 / / / / | / / / / :|| x4

||: E5 / / / / | / / / / :|| x5

Verse 1

| Em F♯m7 | G | D | C
Eight miles high and when you touch down

| G | D | C Cadd9 | C Cadd9
You'll find that it's stranger than known.

| Em F♯m7 | G | D | C
Signs in the street that say where you're going

| G | D | C Cadd9 | C Cadd9
Are somewhere just being their own. / / / /

Link

| Em F♯m7 | G F♯m7 |

erse 2

| Em F♯m7 | G | D | C
No - where is there warmth to be found

| G | D | C Cadd9 | C Cadd9
Among those afraid of losing their ground. __ / / / /

| Em F♯m7 | G | D | C
Rain-gray town known for its sound.

| G | D | C Cadd9 | C Cadd9
In places small faces unbound. ____________

ink 2

Em F♯m7 Em F♯m7 G/E A/E
| / / / / | / / / / | / / / / | / / / / |

A/E G/E
| / / / / | / / / /

olo

G/E A/E G/E A/E
||: / / / / | / / / / | / / / / | / / / / :|| x4

G/E A/E A/E A/E
| / / / / | / / / / | / / / / | / / / / |

erse 3

| Em F♯m7 | G | D | C
Round the squares huddled in storms

| G | D | C Cadd9 | C Cadd9
Some laughing, some just shapeless forms. ____ / / / /

| Em F♯m7 | G | D | C
Side - walk scenes and black limousines.

| G | D | C Cadd9 | C Cadd9
Some living, some standing alone. ____ / / / /

oda

Em F♯m7 Em F♯m7 G/E A/E
| / / / / | / / / / | / / / / | / / / / |

olo

G/E A/E G/E A/E
||: / / / / | / / / / | / / / / | / / / / :|| x3

(freely)
G/E A♭/E A/E Bm/E
| / / / / | / / / / | / ||

Five Years

Words and Music by
DAVID BOWIE

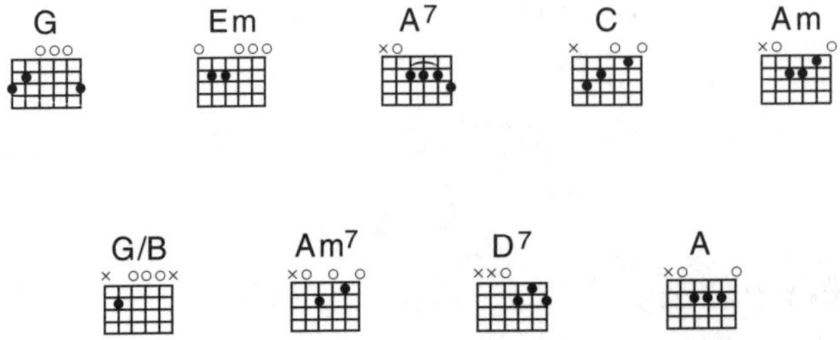

♩. = 48

Intro $\frac{12}{8}$ | *(drums fade in)*

Verse 1

| **G**
Pushing through the market square,
| **Em**
So many mothers sighing,
| **A7**
News had just come over,
| **C**
We had five years left to cry in.
| **G**
News guy wept and told us,
| **Em**
Earth was really dying,
| **A7**
Cried so much his face was wet,
| **C**
Then I knew he was not lying.

Prechorus

| G
I heard telephones, opera house, favourite melodies.
| Em
I saw boys, toys, electric irons and T.Vs.
| A7
My brain hurt like a warehouse, it had no room to spare,
| C
I had to cram so many things to store everything in there,

Bridge

| Am
And all the fat-skinny people,
C | Am
And all the tall-short people,
C G/B Am7 | G
And all the no - bo - dy people,
C | D7
And all the somebody people.
| Am C
I never thought I'd need so many people.

Verse 3

| G
A girl my age went off her head,
| Em
Hit some tiny children.
| A7
If the black hadn't-a pulled her off
| C
I think she would have killed them.

| G
A soldier with a broken arm
| Em
Fixed his stare to the wheels of a Cadillac;
| A^7
A cop knelt and kissed the feet of a priest,
| C
And a queer threw up at the sight of that.

Verse 4

| G
I think I saw you in an ice cream parlour,
| Em
Drinking milk shakes cold and long,
| A
Smiling and waving and looking so fine.
| C
Don't think you knew you were in this song.

Prechorus 2

| G
And it was cold and it rained so I felt like an actor,
| Em
And I thought of Ma and I wanted to get back there –
| A
Your face, your race, the way that you talk;
| C
I kiss you, you're beautiful, I want you to walk.

Chorus ‖: G
We've got five years, stuck on my eyes.
| Em
Five years, what a surprise!
| A
We've got five years, my brain hurts a lot.
| C :‖ x4
Five years, that's all we've got.

Coda 1 | G
Five years,
| Em
Five years,
| A
Five years,
| C
Five years!

Coda 2 G *(drums to fade)*
| / / / / | / / ‖

For What It's Worth

Words and Music by
STEPHEN STILLS

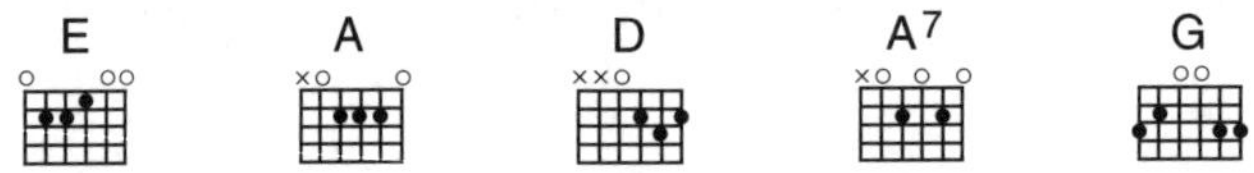

♩ = 97

Intro

4/4 | E / / / / | A / / / / | E / / / / | A / / / / |

Verse 1

| E | A
There's something happening here,
| E | A
And what it is ain't exactly clear.
| E | A
There's a man with a gun over there
| E | A
Telling me I've got to beware.

Chorus

| E D
I think it's time we stop, children, what's that sound?
| A | A7
Everybody look what's going down.__

Link

| E / / / / | A / / / / | E / / / / | A / / / / |
—

Verse 2

| E | A A^7
There's battle-lines being drawn,
| E | A A^7
And nobody's right if everybody's wrong.
| E | A A^7
Young people speaking their minds
| E | A
Are getting so much resistance from behind.

Chorus 2

| E D
Think it's time we stop, hey, what's that sound
| A | A^7
Everybody look what's going down.__

Link 2

E A E A
| / / / / | / / / / | / / / / | / / / / |

Verse 3

| E | A A^7
What a field day for the heat:
| E | A A^7
A thousand people in the street
| E | A A^7
Singing songs and carrying signs
| E | A A^7
Mostly say, "Hooray for our side".

Chorus 3

| E D
It's time we stop, hey, what's that sound?
| A | A^7
Everybody look what's going down.__

Link 3

```
E          A          E          A
|/ / / /  |/ / / /  |/ / / /  |/ / / /  |
```

Verse 4

```
|E          |A    A7
Paranoia strikes deep:
|E             |A    A7
Into your life it will creep.
  |E                     |A    A7
It starts when you're always afraid.
           |E                     |A          A7
Step outta line,   the man come and take you away.
```

Chorus 4

```
           ||: E       D
We'd better stop, hey, what's that sound?
|A                    A7            :|| x4
Everybody look   what's going  down.      (vocal fade)
```

Coda

```
E    D      A    G
/ / / /  |/ / / /  |  (fade)
```

Handbags & Gladrags

Words and Music by
MIKE D'ABO

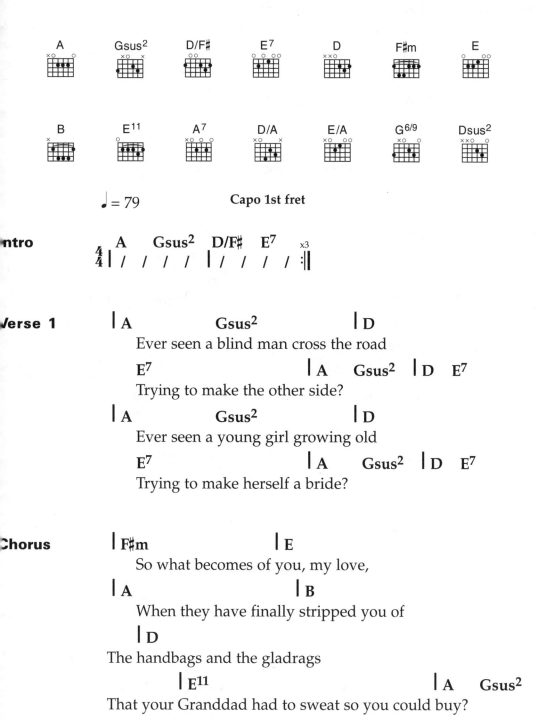

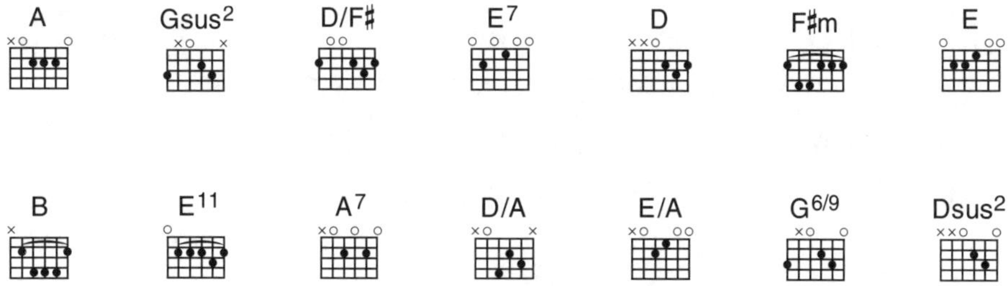

♩ = 79 Capo 1st fret

Intro

A Gsus² D/F♯ E⁷ x3
4/4 | / / / / | / / / / :||

Verse 1

| A Gsus² | D
Ever seen a blind man cross the road
E⁷ | A Gsus² | D E⁷
Trying to make the other side?
| A Gsus² | D
Ever seen a young girl growing old
E⁷ | A Gsus² | D E⁷
Trying to make herself a bride?

Chorus

| F♯m | E
So what becomes of you, my love,
| A | B
When they have finally stripped you of
| D
The handbags and the gladrags
| E¹¹ | A Gsus²
That your Granddad had to sweat so you could buy?

Link

D/F♯ E A Gsus^2 D/F♯ E^7
| / / / / | / / / / | / / / /

Verse 2

| A Gsus^2
Once I was a young man,
| D E^7 | A Gsus^2 | D E^7
And all I thought I had to do was smile.
| A Gsus^2 | D
You are still a young girl,
E^7 | A Gsus^2 | D E^7
And you bought everything in style.

Chorus 2

| F♯m | E
But once you think you're in, you're out,
| A | B
'Cause you don't mean a single thing without
| D
The handbags and the gladrags
| E^{11} | A Gsus^2
That your Granddad had to sweat so you could buy.

Link

D E^7 A E^{11} A E^{11}
| / / / / | / / / / | / / / /

Verse 3

| A A^7 | D/A
Sing a song of sixpence for your sake
E/A | A A^7 | D/A E/A
And take a bottle full of rye.
| A A^7 | D/A
Four-and-twenty blackbirds in a cake,
E/A | A A^7 | D/A E/A
And bake them all in a pie.

Chorus 3 | F♯m | E
They told me you missed school today,
| A | B
So what I suggest – you just throw them all away:
| D
The handbags and the gladrags
| E11 | A G6/9
That your poor old Granddad had to sweat to buy.

Link
Dsus2 E | A G6/9 | Dsus2 E
| / / / / | / / / / | / / / /

Chorus 4 | F♯m | E
They told me you missed school today,
| A | B
So I suggest you just throw them all away:
| D
The handbags and the gladrags
| E11 | A Gsus2
That your poor old Granddad had to sweat to buy you.

Coda
D E7 | A Gsus2 | D/F♯ E7 | A Gsus2
| / / / / | / / / / | / / / / | / / / /
D E7 | A Gsus2 | D/F♯ E11 | A
| / / / / | / / / / | / / / / |

‖

Fortunate Son

Words and Music by
JOHN FOGERTY

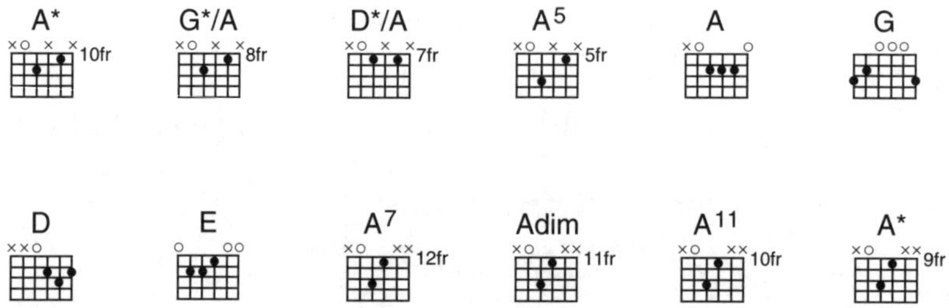

Tune down a whole tone

♩ = 129

Intro

N.C.		A*	G*/A	D*/A	A5
$\frac{4}{4}$ *(bass)*	⁒	‖: / / / /	/ / / /	/ / / /	/ / / / :‖

Verse 1

| **A** | **G**
Some folks are born made to wave the flag,
| **D** | **A**
Ooh, they're red, white and blue.
| | **G**
And when the band plays 'Hail to the chief',
| **D** | **A**
Ooh, they point the cannon at you, Lord.

Chorus

| | **E** | **D** | **A**
But it ain't me, it ain't me, I ain't no senator's son, son
| | **E** | **D** | **A**
It ain't me, it ain't me, I ain't no fortunate one, no.

erse 2

| A | G
Some folks are born silver spoon in hand,
| D | A
Lord, don't they help themselves, y'all.
| | G
But when the taxman comes to the door,
| D | A
Lord, the house looks like a rummage sale, yes.

horus 2

| | E | D | A
It ain't me, it ain't me, I ain't no millionaire's son, no.
| | E | D | A
It ain't me, it ain't me, I ain't no fortunate one, no.

ink

A^7 Adim A^{11} A^{11} A*
||: / / / / | / / / / | / / / / | / / / / :||

erse 3

| A | G
Some folks inherit star-spangled eyes,
| D | A
Ooh, they send you down to war, Lord,
| | G
And when you ask them, 'How much should we give?'
| D | A
Ooh, they only answer more, more, more, y'all.

horus 3

| | E | D | A
It ain't me, it ain't me, I ain't no military son, son.
| | E | D | A
It ain't me, it ain't me, I ain't no fortunate one, one.

oda

| | E | D | A
It ain't me, it ain't me, I ain't no fortunate one, no, no, no,
| | E | D | A
It ain't me, it ain't me, I ain't no fortunate son. *(fade)*

Get It On

Words and Music by
MARC BOLAN

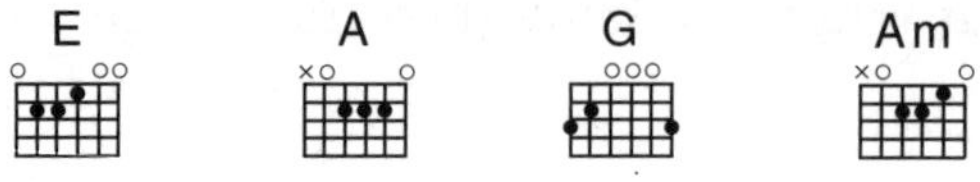

♩ = 120

Intro

E
4/4 ||: / / / / | / / / / | / / / / :|| / / / /

Verse 1

| | E | A
Well you're dirty and sweet, clad in black,
| E
Don't look back and I love you,
| A | E
You're dirty and sweet, oh yeah.
| |
Well you're slim and you're weak,
| A | E
You've got the teeth of the Hydra upon you,
| A | E
You're dirty sweet and you're my girl.

Chorus

| | G | Am | E
Get it on, bang a gong, get it on.
| | G | Am | E | |
Get it on, bang a gong, get it on. / / / / / / / / / / /

erse 2

```
|                |E
    Well you're built like a car –
                 |A                   |E
    You got a hubcap diamond star halo,
              |A                |E
    You're built like a car, oh yeah.
|                |                     |A
    Well you're an untamed youth, that's the truth,
                                |E
    With your cloak full of eagles,
              |A                     |E
    You're dirty sweet and you're my girl.
```

horus 2

```
|         |G        |Am          |E
    Get it on, bang a gong, get it on.
|         |G        |Am          |E       |       |
    Get it on, bang a gong, get it on.   / / / /  / / / /  / / / /
```

erse 3

```
|                |E
    Well you're windy and wild –
                 |A                          |E
    You got the blues in your shoes and your stockings,
              |A                 |E
    You're windy and wild, oh yeah.
|                |E
    Well you're built like a car –
                 |A                   |E
    You got a hubcap diamond star halo,
              |A                     |E
    You're dirty sweet and you're my girl.
```

Chorus 3

```
| |G |Am |E
  Get it on, bang a gong, get it on.
| |G |Am |E |
  Get it on, bang a gong, get it on.    / / / /  / / / /
```

Link

```
   E
||: /  /  /  / | /  /  /  / | /  /  /  / :|| /  /  /  /
```

Verse 4

```
| |E |A
  Well you're dirty and sweet, clad in black,
                     |E
  Don't look back and I love you,
       |A        |E
  You're dirty and sweet, oh yeah.
| |
  Well, you dance when you walk
       |A                  |E
  So let's dance, take a chance, understand me,
       |A                  |E
  You're dirty sweet and you're my girl.
```

Chorus 4

```
| |G |Am |E
  Get it on, bang a gong, get it on.
| |G |Am |E
  Get it on, bang a gong, get it on.
| |G |Am |E |
  Get it on, bang a gong, get it on.    / / / /  / / / /
```

Link 2

```
   E
||: /  /  /  / | /  /  /  / | /  /  /  / :|| /  /  /  /
```

horus 5 ‖: | G | Am | E :‖ x3
Get it on, bang a gong, get it on. / / / /
| | G | Am | E
Get it on, bang a gong, right on!
|
Take me!

uitar solo | G | Am | E | |
/ / / / / / / / / / / / / / / / / / / /

oda | | | | E | *(fade)*
Well, meanwhile I'm still thinking… / / / /

Happy

Words and Music by
MICK JAGGER AND KEITH RICHARDS

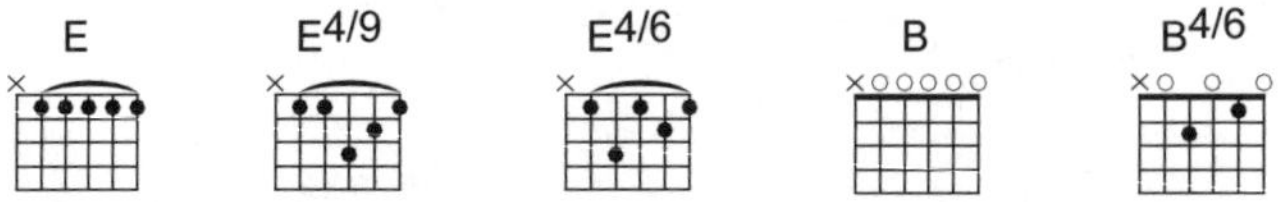

E-based chords are at the 5th fret from capo, actual 9th fret. Chords given are at actual pitch.
Open G tuning D G D G B D, capo IV.

♩ = 130

Intro

E E4/9 | E4/6 E
4/4 | / / / / | / / / / :||

B E | B E | B E
| / / / / | / / / / | / / / / |

Verse 1

| B E | B B4/6 B |
Well, I never kept a dollar past sunset,
| |
It always burned a hole in my pants.
| |
Never made a shool mama happy,
| |
Never blew a second chance, oh no.

Chorus 1

| E E4/9 | E4/6 E
I need a love to keep me happy,
| E4/9 | E4/6 E
I need a love to keep me happy.
| B E | B E
Baby, baby keep me happy.
| B E | B E
Baby, baby keep me happy.

erse 2

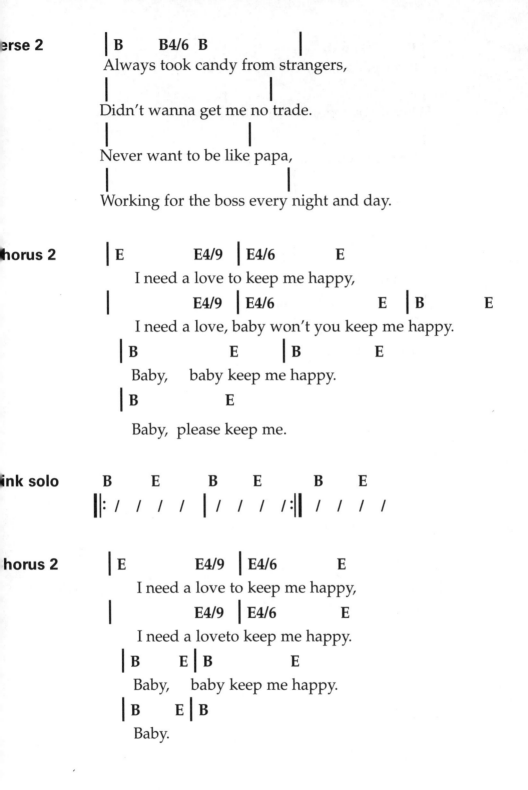

| B B4/6 B |
Always took candy from strangers,
| |
Didn't wanna get me no trade.
| |
Never want to be like papa,
| |
Working for the boss every night and day.

horus 2

| E E4/9 | E4/6 E
I need a love to keep me happy,
| E4/9 | E4/6 E | B E
I need a love, baby won't you keep me happy.
| B E | B E
Baby, baby keep me happy.
| B E
Baby, please keep me.

ink solo

B E B E B E
||: / / / / | / / / / :|| / / / /

horus 2

| E E4/9 | E4/6 E
I need a love to keep me happy,
| E4/9 | E4/6 E
I need a loveto keep me happy.
| B E | B E
Baby, baby keep me happy.
| B E | B
Baby.

Verse 3

| B   B4/6 B |
Never got a flash out of cocktails
| |
When I got some flesh off the bone.
| |
Never got a lift out of Lear jets,
| |
When I can fly way back home.

Chorus 2

| E   E4/9 | E4/6   E
I need a love to keep me happy,
| E4/9 | E4/6   E
I need a love to keep me happy.
| B   E | B   E
Baby,   baby keep me happy.
| B   E | B   E
Baby,   baby keep me happy.
| B
Baby!

Coda solo

E   E4/9 | E4/6   E | E   E4/9 | E4/6   E
/ / / / / / / / / / / / / / / /
||: B   E | B   E :|| *repeat ad lib to fade*
Happy,   Baby, won't you keep me

He Aint Heavy, He's My Brother

Words by BOB RUSSELL
Music by BOBBY SCOTT

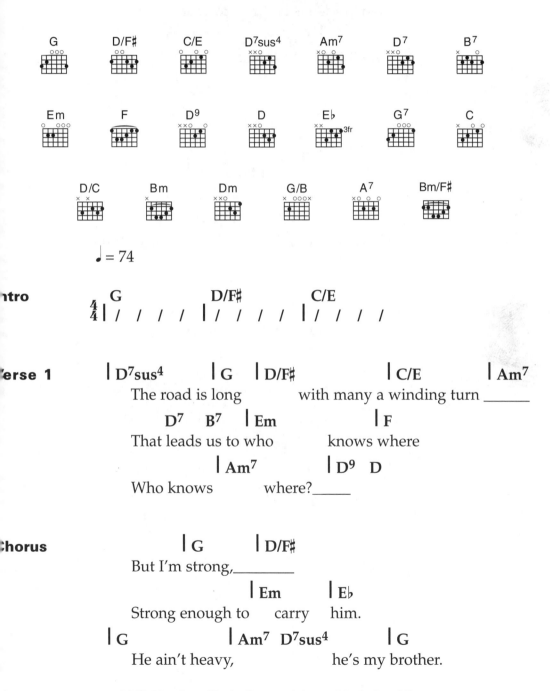

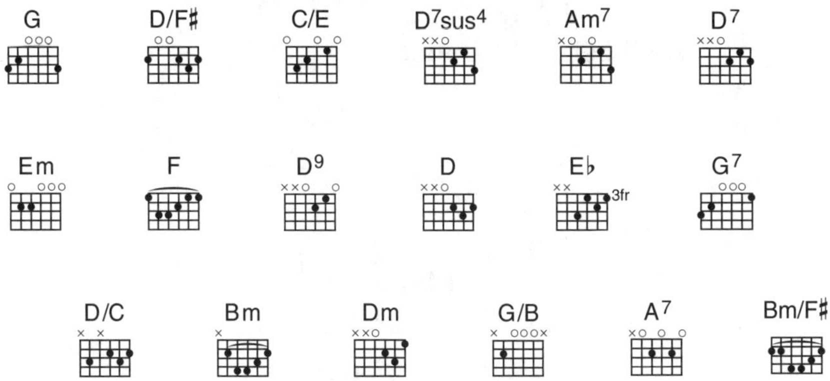

♩ = 74

Intro

4/4 | G / / / / | D/F♯ / / / / | C/E / / / /

Verse 1

| D^7sus^4 | G | D/F♯ | C/E | Am^7
The road is long with many a winding turn ______

D^7 B^7 | Em | F
That leads us to who knows where

| Am^7 | D^9 D
Who knows where?_____

Chorus

| G | D/F♯
But I'm strong,________

| Em | E♭
Strong enough to carry him.

| G | Am^7 D^7sus^4 | G
He ain't heavy, he's my brother.

Verse 2

| Am^7 D^{7}sus^4 | G

So on we go_____

| D/F♯ | C/E

His welfare is my concern,

| Am^7 D^7 B^7 | Em | F

No burden is he to bear

| Am^7 | D^9 D

We'll get there._____

Chorus 2

| G | D/F♯

For I know _______

| Em | E♭

He would not encumber me.

| G | Am^7 D^{7}sus^4 | G

He ain't heavy, he's my brother.

Bridge

| Am^7 G^7 | C | D/C

If I'm laden at all

| C | D/C

I'm laden with sadness

| Bm | Dm

That everyone's heart

| C B^7 | Em G^7

Isn't filled with the gladness _____

| C G/B | A^7 | D^{7}sus^4

Of love _____ for one another.

erse 3

| N.C. | G
It's a long, long road
| D/F♯ | C/E
From which there is no return.
| Am^7 D^7 B^7 | Em | F
While we're on the way to there,
| Am^7 | D^9 D
Why not share?______

horus 3

| G
And the load ____
| Bm/F♯ | Em | E♭
Doesn't weigh me down at all.
| G | Am^7 D^7sus^4 | G
He ain't heavy, he's my brother.

ink

D/F♯ C/E Am^7 D^7 B^7
| / / / / | / / / / | / / / /

Em F Am^7
| / / / / | / / / / | / / / /

oda

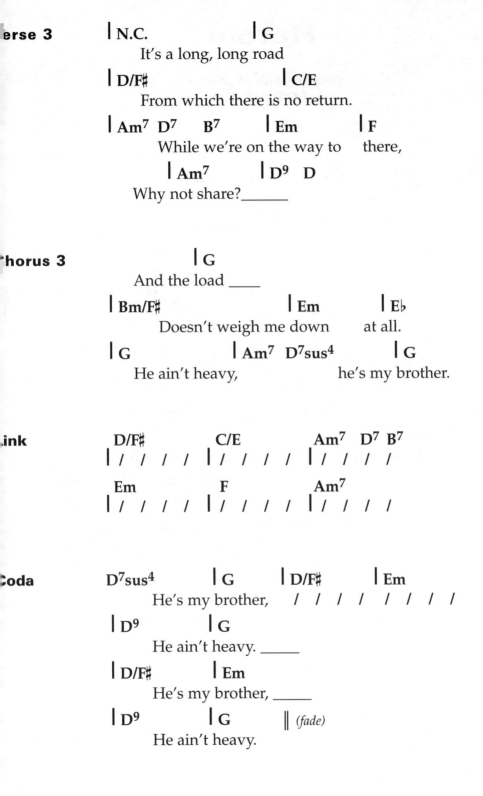

D^7sus^4 | G | D/F♯ | Em
He's my brother, / / / / / / / /
| D^9 | G
He ain't heavy. _____
| D/F♯ | Em
He's my brother, _____
| D^9 | G ‖ *(fade)*
He ain't heavy.

Heroin

Words and Music by
LOU REED

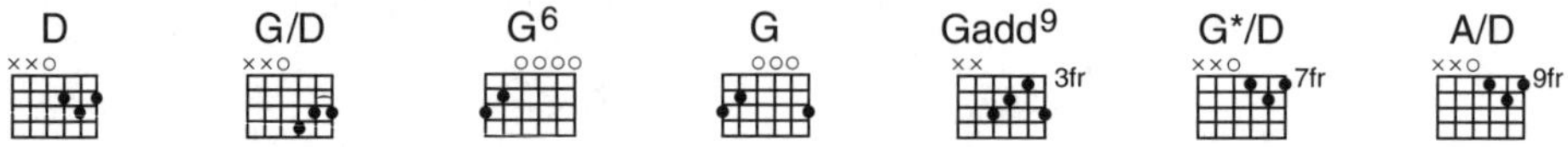

Tune down a semitone

♩ = 67   quicker ♩ = 95

Intro

D | G/D | x4 | D | G6 | x

4/4 | / / / / ||: / / / / | / / / / :||: / / / / | / / / / :|

Verse 1

| D | G6 | D | G6
I don't know

| D | G6 | D
Just where I'm going / / / / / / / /

| G6 | D | G6 | D | G6 | D
But I'm gonna try for the kingdom, if I can.

(quicker) | G | D
'Cause it makes me feel like I'm a man

| G | D
When I put a spike into my vein

| G | D
And I'll tell you, things aren't quite the same,

| G | D
When I'm rushing on my run,

| G | D
And I feel just like Jesus' son,

| G | D
And I guess that I just don't know,

| G | D
And I guess that I just don't know.

nk (*slower*) Gadd⁹ D Gadd⁹
| / / / / | / / / / | / / / /

erse 2 | D | G⁶ | D | G⁶ | D | G⁶ | D
I have made the big decision:
| G⁶ | D | G⁶ | D | G⁶ | D
I'm gonna try to nullify my life
(*quicker*) | G | D
'Cause when the blood begins to flow,
| G | D
When it shoots up the dropper's neck,
| G | D
When I'm closing in on death,
| G*/D A/D G*/D | D | G*/D A/D G*/D
/ / / / / / / / / / / /
| D | G | D
And you can't help me now, you guys,
| G | D
Or all you sweet girls with all your sweet talk,___
| G | D
You can all go take a walk.
| G | D
And I guess that I just don't know,
| G | D
And I guess that I just don't know.

nk (*slower*) Gadd⁹ D Gadd⁹
| / / / / | / / / / | / / / /

Verse 3 | D | G^6 | D | G^6
I wish that
| D | G^6 | D
I was born a thousand years ago.
| G^6 | D | G^6 | D | G^6 | D
I wish that I'd sail the darkened seas
| G | D
On a great big clipper ship
(quicker) | G | D
Going from this land here to that
| G | D
In a sailor's suit and cap.
| G | D | G
/ / / / / / / / / / / /
| D | G | D
Away from the big city
| G | D
Where a man cannot be free
| G | D
Of all of the evils of this town
| G | D
And of himself, and those around.
| G | D
Oh, and I guess that I just don't know,
| G | D
Oh, and I guess that I just don't know.

Link *(slower)* Gadd^9 D Gadd^9
| / / / / | / / / / | / / / /

'erse 4

| D | G^6 | D | G^6 | D

He - - - ro - in, be the death of me. __

| G^6 | D | G^6

/ / / / / / / / / / / /

| D | G^6 | D | G^6 | D

He - - - ro - in, it's my wife and it's my life

| G | D

Because a mainer to my vein

| G | D

Leads to a center in my head

| G | D | G

And then I'm better off than dead. / / / /

ink

D G D G

||: / / / / | / / / / | / / / / | / / / / :||

D G

| / / / / | / / / /

| D | G | D

Because when the smack begins to flow

| G | D

I really don't care any - - more

| G | D

About all the Jim-Jims in this town,

| G | D

And all the politicians making crazy sounds,

| G | D

And everybody putting everybody else down,

| G | D | G

And all the dead bodies piled up in mounds.

Link

D G D G*/D A/D G*/
/ / / / | / / / / | / / / / | / / / /

D G x6
||: / / / / | / / / / :||

Verse 5

| D | G | D
'Cause when the smack begins to flow
| G | D
Then I really don't care anymore.
| G | D | G
/ / / / / / / / / / / /
| D | G | D
Ah, when the heroin is in my blood
| G | D
And that blood is in my head
| G | D
Then thank God that I'm as good as dead
| G | D
And thank your God that I'm not aware,
| G | D
And thank God that I just don't care,
| G | D
And I guess I just don't know, oh,
| G
And I guess I just don't know.
(slower) | D | G6
/ / / / / / / /

Coda

D G6 x3 D
||: / / / / | / / / / :|| / ||

I Feel The Earth Move

Words and Music by
CAROLE KING

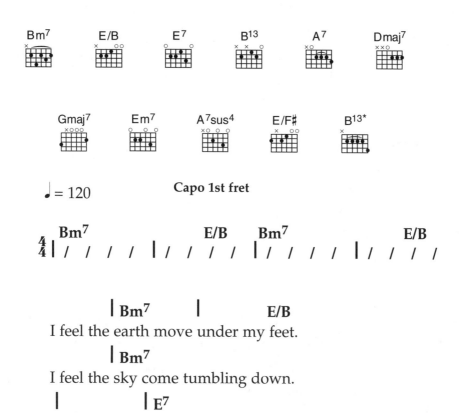

Bm7 E/B E7 B13 A7 Dmaj7

Gmaj7 Em7 A7sus4 E/F♯ B13*

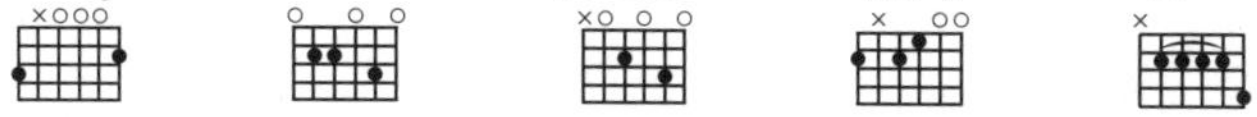

♩ = 120 **Capo 1st fret**

Intro

4/4 | Bm7 / / / / | / / E/B / / | Bm7 / / / / | / / / E/B / |

Chorus

| Bm7 | E/B
I feel the earth move under my feet.
| Bm7
I feel the sky come tumbling down.
| | E7
I feel my heart start to trembling
| | Bm7 | B13
Whenever you're around.________

Verse 1

A7 | Dmaj7 | Gmaj7
Ooh baby, when I see your face,
| Em7 | A7sus4
Mellow as the month of May,
| Dmaj7 | Gmaj7
Oh, darling, I can't stand it
| Em7 | A7sus4
When you look at me that way.

Chorus 2

E/F♯ | Bm7 | E/B
Hey, I feel the earth move under my feet.

| Bm7
I feel the sky tumbling down.

| | E7
I feel my heart start to trembling

| | Bm7 | B13 | Bm7 | B13 N.C.
Whenever you're around.________________ / / /

Instrumental

Bm7 E/B Bm7 E7
‖: / / / / | / / / / | / / / / | / / / / :‖

Bm7 E7 Bm7 E7
| / / / / | / / / / | / / / / | / / / /

Bm7 E7 Bm7
| / / / / | / / / / | / / / /

Verse 2

| E7 A7 | Dmaj7 | Gmaj7
Ooh darling, when you're near me

| Em7 | A7sus4
And you tenderly call my name,

| Dmaj7 | Gmaj7
I know that my emotions

| Em7 | A7sus4
Are something I just can't tame.

| E/F♯ | Bm7
I just got to have ya, baby.

| E/B | Bm7 | E/B
Uh, uh, uh, uh, uh, uh, yeah.______

horus 3

‖: Bm^7 | E/B
I feel the earth move under my feet.

| Bm^7 | E/B :‖
I feel the sky tumbling down, a-tumbling down.

| Bm^7 | E^7
I just a-lose control _____

| Bm^7 | E^7
Down to my very soul. _____

| Bm^7 | E^7
I get hot and cold _____

| Bm^7 | E/B
All over, all over, all over, all over.

horus 4

‖: Bm^7 | E/B
I feel the earth move under my feet.

| Bm^7
I feel the sky tumbling down,

[1 | E/B :‖ [2
a-tumbling down, a-tumbling down,

| Bm^7 | E/B
A-tumbling down, a-tumbling down,

| Gmaj^7 | B^{13*} ‖
A-tumbling down, tumbling down.________

A Horse With No Name

Words and Music by
DEWEY BUNNELL

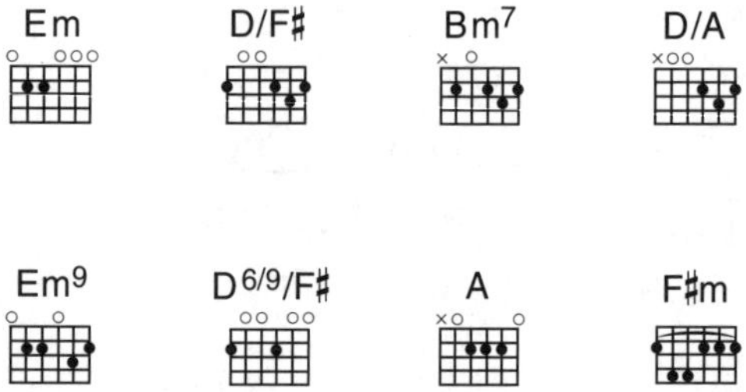

♩ = 118

Intro

```
    Em              D/F#            Em
4/4 | / / / /     | / / / /       | / / / /
```

Verse 1

```
| D/F#      | Em              | D/F#
    On the first part of the journey
     | Em           | D/F#
I was looking at all the life:
           | Em                | D/F#
There were plants and birds and rocks and things,
          | Em             | D/F#
There was sand and hills and rings.
    | Em             | D/F#     Bm7
The first thing I met was a fly with a buzz,
        | Em      | D/F#    Bm7
And the sky with no clouds.
    | Em            | D/F#       Bm7
The heat was hot and the ground was dry
       | Em       | D/F#    D/A
But the air was full of sound.
```

horus

| Em⁹ | D⁶/⁹/F♯
I've been through the desert on a horse with no name,
| Em⁹ | D⁶/⁹/F♯
It felt good to be out of the rain.
| Em⁹ | D⁶/⁹/F♯
In the desert you can remember your name
| Em | D/F♯ D/A
'Cause there ain't no-one for to give you no pain.

ink

| Em⁹ | D⁶/⁹/F♯ | Em⁹ | D⁶/⁹/F♯
La la, la la la la la, la la la, la la.
| Em⁹ | D⁶/⁹/F♯ | Em⁹ | D/A
La la, la la la la la, la la la, la la.

erse 2

| Em | D/F♯
After two days in the desert sun
| Em | D/F♯
My skin began to turn red.
| Em | D/F♯
After three days in the desert fun
| Em | D/A
I was looking at a river bed:
| Em | D/F♯
And the story it told of a river that flowed
| Em | D/F♯ D/A
Made me sad to think it was dead.

Chorus 2

| Em^9 | D$^{6/9}$/F♯
You see I've been through the desert on a horse with no name
| Em^9 | D$^{6/9}$/F♯
It felt good to be out of the rain.
| Em^9 | D$^{6/9}$/F♯
In the desert you can remember your name
| Em | D/F♯ D/A
'Cause there ain't no-one for to give you no pain.

Link 2

| Em^9 | D$^{6/9}$/F♯ | Em^9 | D$^{6/9}$/F♯ Bm^7
La la la, la la la la la, la la la, la la.
| Em^9 | D$^{6/9}$/F♯ | Em^9 | A
La la la, la la la la la, la la la, la la.

Guitar solo

Em F♯m Em^9 A
| / / / / | / / / / | / / / / | / / / /
Em^9 D$^{6/9}$/F♯ Bm^7 Em
| / / / / | / / / / | / / / /

Verse 3

| A | Em^9 | D$^{6/9}$/F♯
After nine days I let the horse run free
| Em^9 | D$^{6/9}$/F♯ Bm^7
'Cause the desert had turned to sea:
| Em^9 | D$^{6/9}$/F♯ Bm^7
There were plants and birds and rocks and things,
| Em^9 | D$^{6/9}$/F♯ Bm^7
There was sand and hills and rings.
| Em^9 | D$^{6/9}$/F♯
The ocean is a desert with its life underground
| Em^9 | D$^{6/9}$/F♯ Bm^7
And a perfect disguise above.
| Em^9 | D$^{6/9}$/F♯
Under the cities lies a heart made of ground
| Em^9 | A
But the humans will give no love.

Chorus 3

| Em^9 | $D^{6/9}/F\sharp$
You see I've been through the desert on a horse with no name,
| Em^9 | $D^{6/9}/F\sharp$
It felt good to be out of the rain.
| Em^9 | $D^{6/9}/F\sharp$
In the desert you can remember your name
| Em | D/F♯ D/A
'Cause there ain't no-one for to give you no pain.

Coda

| Em^9 | $D^{6/9}/F\sharp$ | Em^9 | $D^{6/9}/F\sharp$ Bm^7
La la la, la la la la la, la la la, la la.
| Em^9 | $D^{6/9}/F\sharp$ | Em^9 | A
La la la, la la la la la, la la la, la la. *(repeat to fade)*

It's Only Rock And Roll

Words and Music by
MICK JAGGER AND KEITH RICHARDS

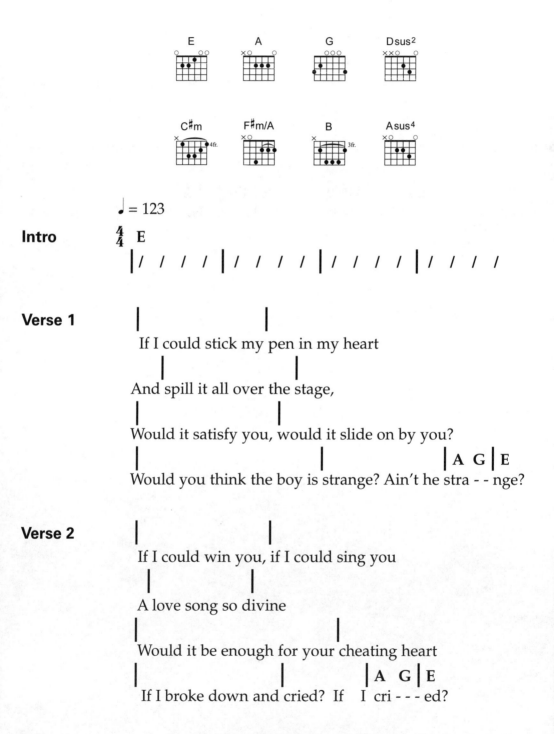

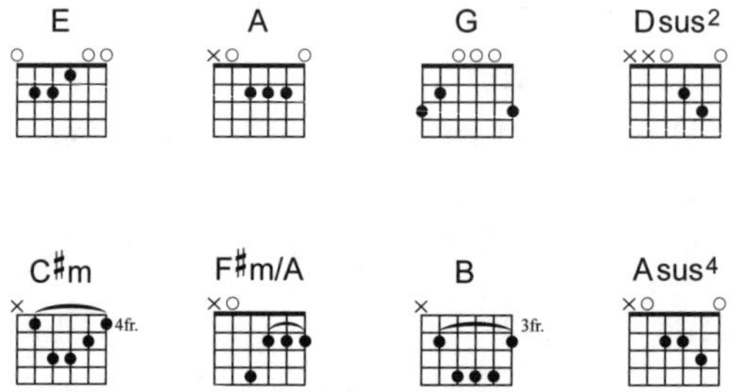

♩ = 123

Intro

4/4 E
| / / / / | / / / / | / / / / | / / / /

Verse 1

| |
If I could stick my pen in my heart
| |
And spill it all over the stage,
| |
Would it satisfy you, would it slide on by you?
| | | A G | E
Would you think the boy is strange? Ain't he stra - - nge?

Verse 2

| |
If I could win you, if I could sing you
| |
A love song so divine
| |
Would it be enough for your cheating heart
| | | A G | E
If I broke down and cried? If I cri - - - ed?

Chorus 1

| A | | E |
I said I know it's only rock and roll but I like it. / / / /

| A | | B D | A E
I know it's only rock and roll but I like it, like it, yes I do.

| A | | E
Oh well, I like it, I like it,

| | A
I like it.

| | Dsus2 A | Dsus2 A | E
I said, can't you see that this old boy has been a-lonely?

|
/ / / /

Verse 3

| |
If I could stick a knife in my heart,

| |
Suicide right on stage,

| |
Would it be enough for your teenage lust?

| | | A G | E
Would it help to ease the pain? Ease your br - a - in?

Verse 4

| |
If I could dig down deep in my heart,

| |
Feelings would flood on the page.

| |
Would it satisfy you? Would it slide on by you?

| | | A G | E
Would you think the boy's insane? He's ins - a - ne?

Chorus 2

| | A | | E
I said I know it's only rock and roll but I like it.

| | A | | E D | A

I said, I know it's only rock and roll but I like it, like it, yes I c

| A | C♯m F♯m/A A | E

Oh well, I like it, yeah I like it,

| | A

I like it.

| | Dsus2 A | Dsus2 A | E

I said, can't you see that this old boy has been a-lonely

|

/ / / /

Bridge

| B | | Asus4 A

And do you think that you're the only girl all around?

|

/ / / /

| B | | Asus4 A

I bet you think that you're the only woman in town.

| C♯m F♯m/ A A

Guitar Solo

E

||: / / / / | / / / / | / / / / | / / / / :||

A G E

| / / / /

Chorus 3

||: | A | | E :||

I said I know it's only rock and roll but I like it. / / / /

| A | | E |

I know it's only rock and roll but I like it, / / / /

| A | | E D | A E

I know it's only rock and roll but I like it, like it, yes I d

| A | C♯m F♯m/A A | E

Oh well, I like it, I like it,

	A	C#m F#m/A A	E
	I like it,	I like it,	

| A | C#m F#m/A A | E
/ / / / I like it. I like it.

Coda ||: | A
(Only rock and roll but) I like it.
| E :|| *repeat to fade*
(Only rock and roll but) I like it.

It's Too Late

Words and Music by
CAROLE KING AND TONI STERN

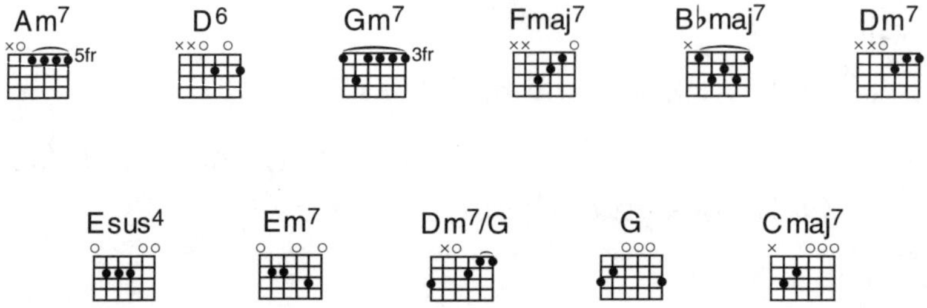

♩ = 102

Intro

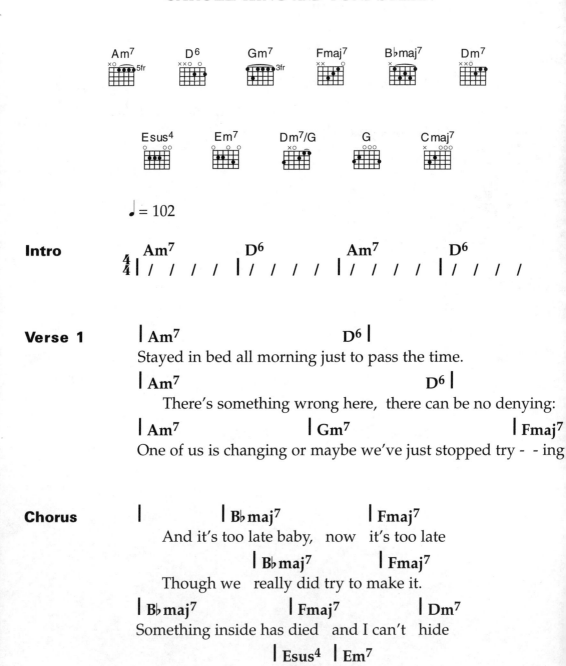

4/4 | Am7 / / / / | D6 / / / / | Am7 / / / / | D6 / / / /

Verse 1

| Am7 D6 |
Stayed in bed all morning just to pass the time.
| Am7 D6 |
There's something wrong here, there can be no denying:
| Am7 | Gm7 | Fmaj7
One of us is changing or maybe we've just stopped try - - ing

Chorus

| | B♭maj7 | Fmaj7
And it's too late baby, now it's too late
| B♭maj7 | Fmaj7
Though we really did try to make it.
| B♭maj7 | Fmaj7 | Dm7
Something inside has died and I can't hide
| Esus4 | Em7
And I just can't fake it, oh

```
Link       | Am7        | D6              | Am7
             No, no.       /  /  /  /        /  /  /  /

Verse 2    | D6    | Am7                  D6 |
                It used to be so easy living here with you:
           | Am7                           D6 |
           You were light and breezy and I knew just what to do.
                | Am7                      | Gm7        | Fmaj7
           Now you look so unhappy    and I feel like a fool.

Chorus 2   |             | B♭maj7           | Fmaj7
              And it's too late baby,   now   it's too late
                             | B♭maj7       | Fmaj7
              Though we   really did try to make it.
           | B♭maj7             | Fmaj7          | Dm7
           Something inside has died   and I can't   hide
                              | Dm7/G    G
              And I just can't fake    it,   oh

Solos      | Cmaj7      | Fmaj7       | B♭maj7      | Am7         |
             No, no.      /  /  /  /    /  /  /  /    /  /  /  /
           | Gm7        | Fmaj7       | Dm7         | Esus4  Em7  |
             /  /  /  /   /  /  /  /    /  /  /  /    /  /  /  /
                                                                x5
           ||: Am7      | D6          | Am7         | D6         :||
             /  /  /  /   /  /  /  /    /  /  /  /    /  /  /  /
```

Verse 3

| Am7 D6 |
There'll be good times again for me and you,
| Am7 D6 |
But we just can't stay together – don't you feel it too?
| Am7 | Gm7 | Fmaj7
Still I'm glad for what we had and how I once loved you.

Chorus 3

| | B♭maj7 | Fmaj7
But it's too late baby, now it's too late
| B♭maj7 | Fmaj7
Though we really did try to make it.
| B♭maj7 | Fmaj7 | Dm7
Something inside has died and I can't hide
| Dm7/G G
And I just can't fake it, oh

Link

| Cmaj7 | Fmaj7 | B♭maj7 | Am7
No, no, no no. _____ / / / / / / / /
| Gm7 | Fmaj7 | Dm7
/ / / / / / / / / / / /

Coda

| Dm7/G G | Cmaj7 | Fmaj7
It's too late, baby.
| Cmaj7 | Fmaj7
It's too late, now darling.
| Cmaj7 ||
It's too late.

Itchycoo Park

Words and Music by
STEVE MARRIOTT AND RONNIE LANE

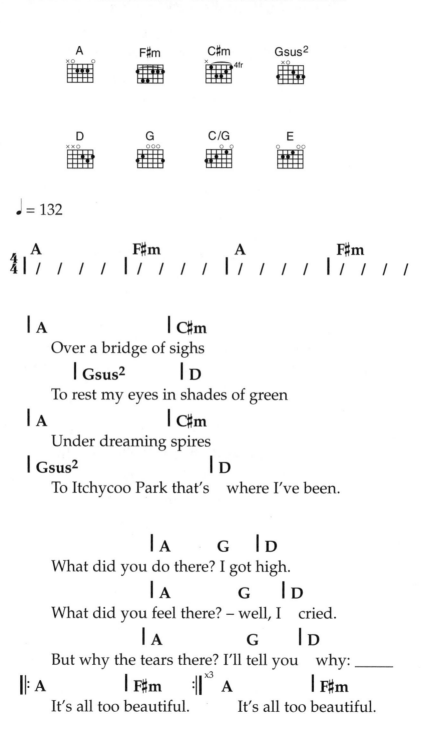

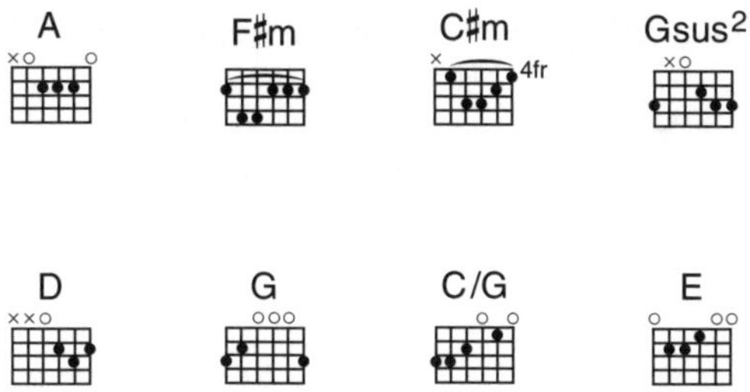

♩ = 132

Intro

```
    A                F♯m              A                F♯m
4/4 | /  /  /  /   | /  /  /  /     | /  /  /  /     | /  /  /  /
```

Verse 1

```
| A                    | C♯m
   Over a bridge of sighs
      | Gsus²          | D
   To rest my eyes in shades of green
| A                    | C♯m
   Under dreaming spires
| Gsus²                       | D
   To Itchycoo Park that's    where I've been.
```

Chorus

```
                         | A      G     | D
   What did you do there? I got high.
                         | A        G    | D
   What did you feel there? – well, I    cried.
                        | A          G      | D
   But why the tears there? I'll tell you    why: _____
||: A            | F♯m         :||x3  A              | F♯m
   It's all too beautiful.          It's all too beautiful.
```

Bridge

| A | C/G
I feel inclined to blow my mind
| G | D | A
Get up, feed the ducks with a bun.
| | C/G
They all come out to groove about
| G D | E |
Be nice and have fun in the sun. / / / /

Verse 2

| A | C♯m
I'll tell you what I'll do
| Gsus2 | D
(What will you do?)
I'd like to go there now with you.
| A | C♯m
You can miss out school,
| Gsus2 | D
(Won't that be cool)
Why go to learn the words of fools?

Chorus 2

| A G | D
What will we do there? We'll get high.
| A G | D
What will we touch there? We'll touch the sky.
| A G | D
But why the tears there? I'll tell you why:____
||: A | F♯m :|| x3 A | F♯m
It's all too beautiful. It's all too beautiful.

Bridge 2

```
|A              |C/G
I feel inclined to blow my mind
   |G          |D          |A
Get up,  feed the ducks with a bun.
   |                |C/G
They all come out to groove about
  |G             D         |E        |
Be nice and have fun in the sun.        /   /   /   /
```

Coda

```
||: A             | F♯m        :||x3
     It's all too beautiful.
 | A              | F♯m          | Drum fill  |
    /   /   /   /    /  Ha!  /  /
||: A             | F♯m        :||   repeat vocal ad lib. to fade
     It's all too beautiful.
```

Layla

Words and Music by
JIM GORDON AND ERIC CLAPTON

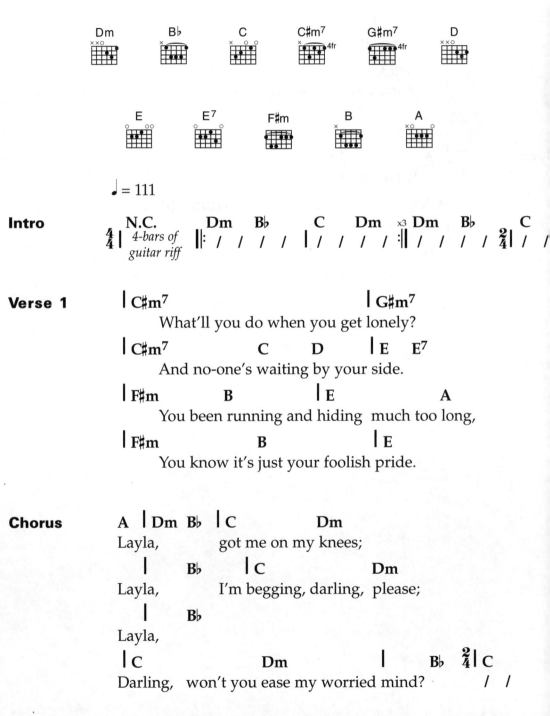

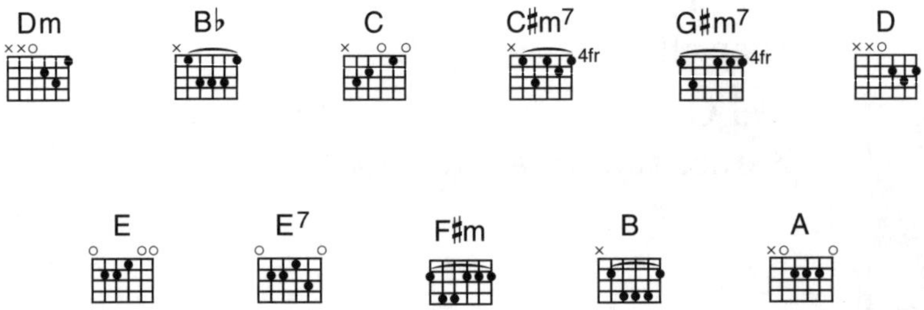

♩ = 111

Intro
```
    N.C.                Dm   B♭     C    Dm  x3 Dm   B♭     C
4/4 | 4-bars of      |: / / / / | / / / / :| / / / / 2/4| / /
      guitar riff
```

Verse 1
```
| C♯m7                                | G♯m7
          What'll you do when you get lonely?
| C♯m7                C      D     | E   E7
          And no-one's waiting by your side.
| F♯m         B          | E            A
          You been running and hiding  much too long,
| F♯m              B            | E
          You know it's just your foolish pride.
```

Chorus
```
A  | Dm  B♭  | C            Dm
Layla,           got me on my knees;
   |     B♭      | C              Dm
Layla,           I'm begging, darling,  please;
   |     B♭
Layla,
| C                Dm                |       B♭  2/4| C
Darling,   won't you ease my worried mind?            / /
```

Verse 2

| C♯m7 | G♯m7
Tried to give you consolation
| C♯m7 C D | E E7
When your old man had let you down.
| F♯m B | E A
Like a fool, I fell in love with you,
| F♯m B | E
You turned my whole world upside down.

Chorus 2

A | Dm B♭ | C Dm
Layla, got me on my knees;
| B♭ | C Dm
Layla, I'm begging, darling, please;
| B♭
Layla,
| C Dm | B♭ $\frac{2}{4}$| C
Darling, won't you ease my worried mind? / /

Verse 3

| C♯m7 | G♯m7
Let's make the best of the situation
| C♯m7 C D | E E7
Before I finally go insane.
| F♯m B | E A
Please don't say we'll never find a way,
| F♯m B | E
Don't tell me all my love's in vain.

Chorus 3

```
A    | Dm  B♭  | C            Dm
Layla,           got me on my knees;
     |     B♭      | C                 Dm
Layla,           I'm begging, darling,  please;
     |     B♭
Layla,
| C                 Dm              |       B♭   | C   Dm
Darling,  won't you ease my worried mind?
```

Chorus 4

```
        |     B♭  | C            Dm
Lay  -  la,      got me on my knees;
     |     B♭      | C                 Dm
Layla,           I'm begging, darling,  please;
     |     B♭
Layla,
| C                 Dm              |       B♭   | C   Dm
Darling,  won't you ease my worried mind?
```

Coda

```
  Dm     B♭         C     Dm
||: /  /  /  /  | /  /  /  /  :||  to fade
```

Light My Fire

Words and Music by
JIM MORRISON, RAYMOND MANZAREK,
JOHN DENSMORE AND ROBERT KRIEGER

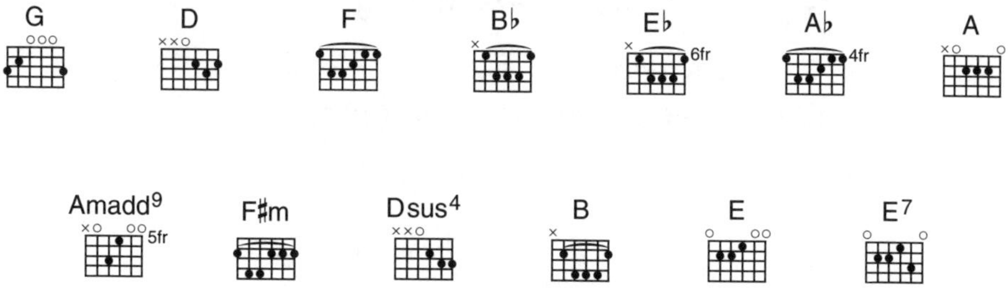

Tune slightly flat

♩ = 126

ntro

$\frac{4}{4}$ | G / / D / / | F / / B♭ / / | E♭ / / A♭ / / | A / / / / |

erse 1

| | **Amadd9** | **F♯m**
You know that it would be untrue,
| **Amadd9** | **F♯m**
You know that I would be a liar
| **Amadd9** | **F♯m**
If I was to say to you:
| **Amadd9** | **F♯m**
Girl, we couldn't get much higher.

horus

| **G** **A** | **D** **Dsus4** **D**
Come on, baby, light my fire.
| **G** **A** | **D** **B**
Come on, baby, light my fire.
| **G** **D** | **E** | **E7**
Try to set the night on fire.

Verse 2

| Amadd^9 | F♯m
The time to hesitate is through,
| Amadd^9 | F♯m
No time to wallow in the mire.
| Amadd^9 | F♯m
Try now, we can only lose
| Amadd^9 | F♯m
And our love become a funeral pyre.

Chorus 2

| G A | D Dsus^4 D
Come on, baby, light my fire.
| G A | D B
Come on, baby, light my fire.
| G D | E | E^7
Try to set the night on fire, yeah!

Instrumental

Am Bm
‖: / / / / :‖ *repeat ad lib. during organ and guitar solo*

Link

G D F B♭ E♭ A♭ A
| / / / / | / / / / | / / / / | / / / /

Verse 3

| | Amadd^9 | F♯m
The time to hesitate is through,
| Amadd^9 | F♯m
No time to wallow in the mire.
| Amadd^9 | F♯m
Try now, we can only lose
| Amadd^9 | F♯m
And our love become a funeral pyre.

Chorus 3

```
|G              A        |D   Dsus4   D
Come on, baby, light my fire.
|G              A        |D   B
Come on, baby, light my fire.
|G          D        |E       |E7
Try to set the night on      fire.
```

Verse 4

```
|      |Amadd9                  |F#m
   You know that  it would be untrue,
   |Amadd9                |F#m
You know that I would  be a liar
|Amadd9          |F#m
If I was  to say to you:
|Amadd9                   |F#m
Girl,  we couldn't get much higher.
```

Chorus 4

```
|G              A        |D   Dsus4   D
Come on, baby, light my fire.
|G              A        |D   Dsus4   D
Come on, baby, light my fire.
                                          x3
||: F          C        |D   Dsus4   D   :||
Try to set the night on fire,
|F          C        |D       |
Try to set the night on fire. ________
```

Coda

```
G     D      F     B♭       E♭    A♭
|/ / / / |/ / / / |/ / / /
A
|/ / / / |/ / / / |/        ||
```

Leaving On A Jet Plane

Words and Music by
JOHN DENVER

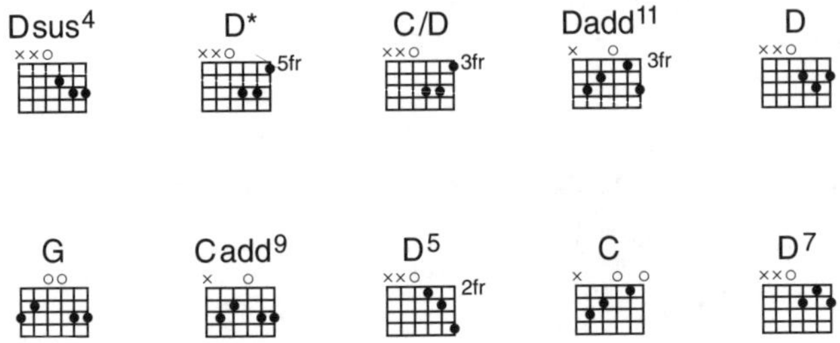

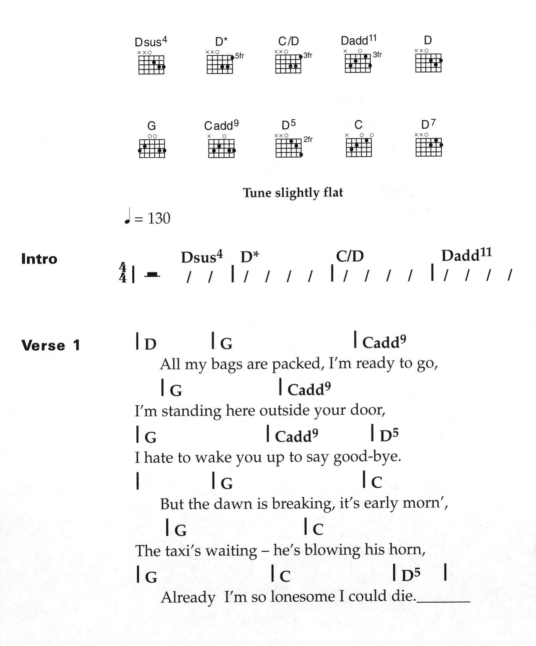

Tune slightly flat

♩ = 130

Intro

4/4 | 𝄼 Dsus4 / / | D* / / / / | C/D / / / / | Dadd11 / / / /

Verse 1

| D | G | Cadd9
All my bags are packed, I'm ready to go,

| G | Cadd9
I'm standing here outside your door,

| G | Cadd9 | D5
I hate to wake you up to say good-bye.

| | G | C
But the dawn is breaking, it's early morn',

| G | C
The taxi's waiting – he's blowing his horn,

| G | C | D5 |
Already I'm so lonesome I could die._______

Chorus

| G | C
So kiss me and smile for me,

| G | C
Tell me that you'll wait for me,

| G | C | D Dsus^{4}
Hold me like you'll never let me go.________

| D | G | Cadd^{9} | G
'Cause I'm leaving on a jet plane,______

| Cadd^{9} | G
Don't know when I'll be back again,_____

| Cadd^{9} | Dsus^{4} | D | D^{7} |
Oh, babe, I hate to go.________________

Verse 2

| D | G | Cadd^{9}
There's so many times I've let you down

| G | Cadd^{9}
So many times I've played around,

| G | Cadd^{9} | D^{5}
I tell you now they don't mean a thing.

| | G | Cadd^{9}
Every place I go I'll think of you,

| G | Cadd^{9}
Every song I sing I'll sing for you,

| G | Cadd^{9} | D^{5} |
When I come back I'll bring your wedding ring. / / / [So]

Chorus 2

| G | C
So kiss me and smile for me,

| G | C
Tell me that you'll wait for me,

| G | C | D Dsus^4
Hold me like you'll never let me go.________

| D | G | Cadd^9 | G
'Cause I'm leaving on a jet plane,______

| Cadd^9 | G
Don't know when I'll be back again,_____

| Cadd^9 | Dsus^4 | D | D^7 |
Oh, babe, I hate to go.________________

Verse 3

| G | Cadd^9 | G
Now the time has come to leave you,____

| Cadd^9
One more time let me kiss you,

| G | Cadd^9
Then close your eyes

| D^5 |
And I'll be on my way. / / / /

| G | Cadd^9
Dream about the days to come

| G | Cadd^9
When I won't have to leave alone,

| G | Cadd^9 | D^5 |
About the times I won't have to say: / / / /

Chorus 3

| G | C
So kiss me and smile for me,
| G | C
Tell me that you'll wait for me,
| G | C | D Dsus4
Hold me like you'll never let me go.________
| D | G | Cadd9 | G
'Cause I'm leaving on a jet plane,______
| Cadd9 | G
Don't know when I'll be back again,_____
| Cadd9 | D | D7
Oh, babe, I hate to go.________

Coda

| G | Cadd9 | G
I'm leaving on a jet plane,____
| Cadd9 | G
Don't know when I'll be back again,_____
| Cadd9 | | D Dsus4 | D | D7
Oh, babe,_______ I hate to go.___________________ / / / / / / / /

D7 D* G
| / / / / | / / / / / | / ||

Life On Mars

Words and Music by
DAVID BOWIE

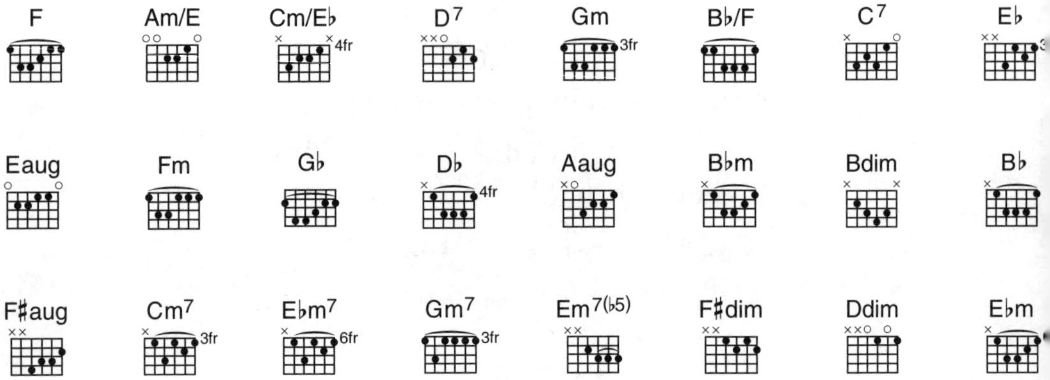

♩ = 57

Verse 1 2/4 | **F** | **Am/E** | **Cm/E♭**
It's a god awful small affair
| **D7**
To the girl with the mousy hair
| **Gm** | **B♭/F** | **C7**
But her mummy is yelling 'No'
| | **F**
And her daddy has told her to go.
| **Am/E** | **Cm/E♭**
But her friend is nowhere to be seen,
| **D7**
Now she walks through her sunken dream
| **Gm** | **B♭/F** | **C7**
To the seat with the clearest view
|
And she's hooked to the silver screen.

rechorus

| E♭ | Eaug | Fm
But the film is a saddening bore
| G♭
For she's lived it ten times or more.
| D♭ | Aaug | B♭m
She could spit in the eyes of fools_____
| Bdim
As they ask her to focus on:

horus

| B♭ | E♭
Sailors fighting in the dance hall –
| Gm | F♯aug | F
Oh man! Look at those cavemen go.
| Fm | Cm^7
It's the freakiest show.
| E♭m^7 | B♭
Take a look at the Law-man
| E♭
Beating up the wrong guy.
| Gm | F♯aug | F
Oh man! Wonder if he'll ever know
| Fm | Cm^7
He's in the best selling show?
| E♭m^7 | Gm^7 | F♯aug | B♭/F | Em$^{7(\flat 5)}$ |
Is there life on Mars?________________

nk

F F♯dim Gm Ddim Am B♭ B♭m
| / / | / / | / / | / / | / / | / / | / / |

Verse 2

| F | Am/E | Cm/E♭

It's on Amerika's tortured brow

| D^7

That Mickey Mouse has grown up a cow.

| Gm | B♭/F | C^7

Now the workers have struck for fame

|

'Cause Lennon's on sale again.

| F | Am/E | Cm/E♭

See the mice in their million hordes

| D^7 | Gm

From Ibiza to the Norfolk Broads.

| B♭/F | C^7

'Rule Britannia' is out of bounds

|

To my mother, my dog, and clowns.

Prechorus 2

| E♭ | Eaug | Fm

But the film is a saddening bore

| G♭

'Cause I wrote it ten times or more.

| D♭ | Aaug | B♭m

It's about to be writ again

| Bdim

As I ask you to focus on:

Chorus 2

| B♭ | E♭
Sailors fighting in the dance hall –
| Gm | F♯aug | F
Oh man! Look at those cavemen go.
| Fm | Cm^7
It's the freakiest show.
| $E♭m^7$ | B♭
Take a look at the Law-man
| E♭
Beating up the wrong guy.
| Gm | F♯aug | F
Oh man! Wonder if he'll ever know
| Fm | Cm^7
He's in the best selling show?
| $E♭m^7$ | Gm^7 | F♯aug | B♭/F | $Em^{7(♭5)}$ |
Is there life on Mars?________________

Coda

F F♯dim Gm B♭/F B♭
| / / | / / | / / | / / | / /

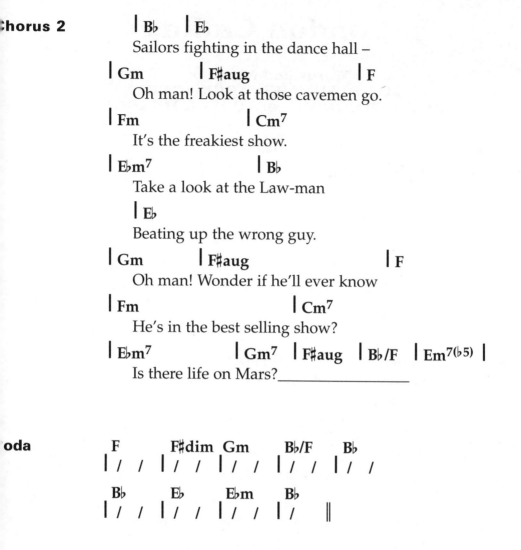

B♭ E♭ E♭m B♭
| / / | / / | / / | / ‖

London Calling

Words and Music by
JOE STRUMMER, MICK JONES,
PAUL SIMONON AND TOPPER HEADON

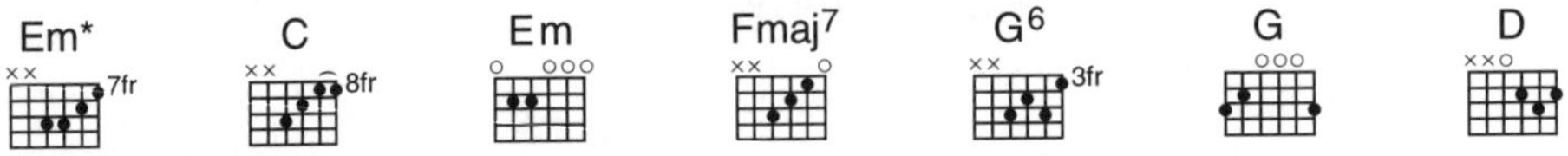

♩ = 54

Intro

$\frac{4}{4}$ | Em* / / / / | C / / / / | Em* / / / / | C / / / / :|| x3

Verse 1

| Em | Fmaj^7
London calling to the far-away towns
| G^6 | G
Now war is declared and battle come down.
| Em | Fmaj^7
London calling to the underworld -
| G^6 | G
Come out of the cupboard you boys and girls.
| Em | Fmaj^7
London calling, now don't look to us -
| G^6 | G
Phoney Beatlemania has bitten the dust.
| Em | Fmaj^7
London calling, see we ain't got no swing
| G^6 | G
Except for the ring of that truncheon thing.

Chorus

```
  | Em                         | G                  D
The ice age is coming, the sun's zooming in,
| Em                           | G                     D
Melt-down expected,  the wheat is growing thin;
| Em                            | G          D
Engines stop running, but I have no fear
        | Em                           | D    |
'Cause London is drowning  and I        live by the river.___
```

Verse 2

```
| Em                     | Fmaj7
London calling to the imitation zone -
| G6                               | G
    Forget it, brother, you can go it alone.
| Em                      | Fmaj7
London calling to the zombies of death –
| G6                    | G
Quit holding out and draw another breath.
| Em                    | Fmaj7
London calling and I don't wanna shout
   | G6                         | G
But while we were talking I saw you nodding out.
| Em                       | Fmaj7
London calling, see we ain't got no highs
  | G6                            | G
Except for that one with the yellowy eyes.
```

Chorus 2

```
  | Em                         | G                  D
The ice age is coming, the sun's zooming in,
| Em                           | G                     D
Engines stop running, the wheat is growing thin;
| Em                 | G            D
A nuclear error, but I have no fear
        | Em                           | D    |
'Cause London is drowning  and I,       I live by the river.
```

```
Guitar solo   Em              Fmaj7           G6              G           x4
              ||: / / / /  | / / / /  | / / / /  | / / / / :||

Chorus 3        | Em                   | G              D
              The ice age is coming, the sun's zooming in,
              | Em                     | G                   D
              Engines stop running, the wheat is growing thin;
              | Em              | G           D
              A nuclear error, but I have no fear
                   | Em                      | D    |
              'Cause London is drowning  and I,     I live by the river.

Link          Em*             C               Em*             C
              ||: / / / /  | / / / / :|| / / / /  | / / / /

Verse 3       | Em*    | C     | Em*                  | C
                    Now get this – London calling, yes, I was there too,
                     | Em*                        | C
              And you know what they said? Well, some of it was true!
              | Em*              | C
              London calling at the top of the dial -
                  | Em*                 | C
              And after all this, won't you give me a smile?

Coda          | Em*          | C             | Em*          | C
              London calling.  / / / /   / / / /   / / / /
               | Em                     ||
              I never felt so much alike.
```

Long Time Gone

Words and Music by
DAVID CROSBY

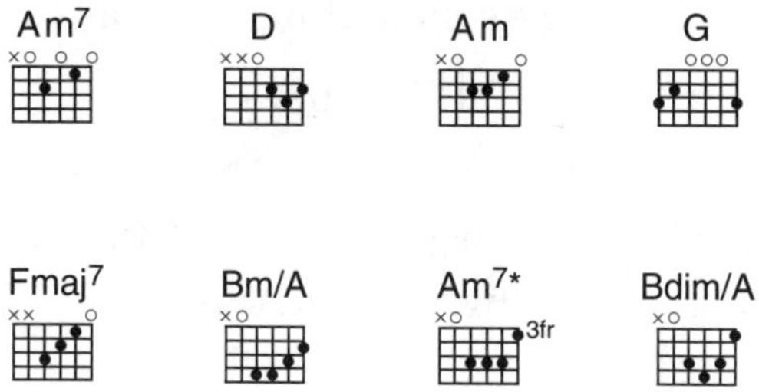

♩ = 104

Intro

```
     Am7                D                 Am7   D        Am7
4/4 | /  /  /  /  | /  /  /  /  | /  /  /  /  | /  /  /
```

Verse 1

```
                  | Am7  | D          | Am7     | D
It's been a long ____     time coming,
                          | Am7  | D          | Am7
It's going to be a long              time gone.____
```

Chorus

```
| D              | Am    G    | Fmaj7    | Am    G    | Fmaj7
    And it appears to be a long,      appears to be a long,
   | Am    G    | D         |
Appears to be a long       time,
     |                       |                      | Am7    | D
It's a long, long, long, long time       before the dawn.
```

Link

```
  Am7               D
| /  /  /  /  | /  /  /  /
```

Verse 2

```
| Am7     | D          | Am7     | D
Turn,          turn any corner,
| Am7     | D                          | Am7      | D
Hear,_____      you must hear what the    people say.
| Am                        | Bm/A          | Am7*     | Bm/A
You know there's something     that's going on around here.
   | Am7          | Bdim/A
It  surely,  surely,           surely
Bm/A             | Am7*            | Bm/A
Won't stand the light of the day,          no.
```

Chorus 2

```
               | Am    G   | Fmaj7                  | Am    G   | Fmaj7
And it appears to be a long, (yes it does) appears to be a long,
  | Am    G   | D          |
Appears to be a long         time,
         |               |              | Am7          | D
Such a long,  long      time        before the dawn.
```

Link 2

```
 Am7             D
| /  /  /  /  | /  /  /  /
```

Verse 3

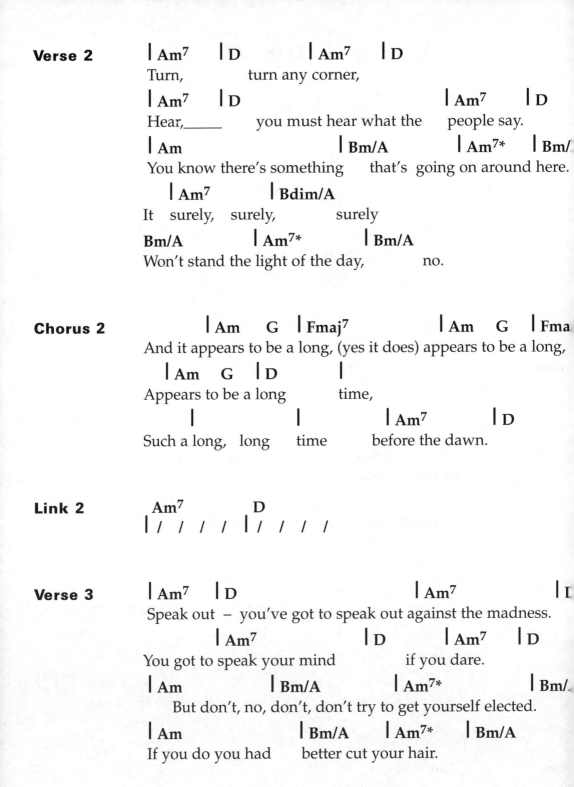

```
| Am7    | D                              | Am7                | D
Speak out – you've got to speak out against the madness.
          | Am7                 | D          | Am7     | D
You got to speak your mind              if you dare.
| Am              | Bm/A              | Am7*                   | Bm/A
    But don't, no, don't, don't try to get yourself elected.
| Am                  | Bm/A      | Am7*       | Bm/A
If you do you had     better cut your hair.
```

Chorus 3

| Am G | Fmaj7 | Am G | Fmaj7
And it appears to be a long, (yes it does) appears to be a long,
| Am G | D |
Appears to be a long time,
| | | Am7 | D
Such a long, long, long, long time before the dawn.

Link

Am7 D
| / / / / | / / /

Bridge

| Am7 | D | Am7 | D
It's been a long (long) time (time) coming (coming)
| Am7 | D | Am7 | D
It's going to be a long (long) time (time) gone (gone).
| Am7 | D | Am7 | D
But you know the darkest hour
| Am7 | D | Am7 | D
Is always,______ always just before the dawn____

Chorus 4

| Am G | Fmaj7 | Am G | Fmaj7
And it appears to be a long, appears to be a long,
| Am G | D |
Appears to be a long time,
| | | Am7 | D
Such a long, long, long, long time before the dawn.

Coda

D Am
| / / / / | / / / / ||

Long Train Runnin'

Words and Music by
TOM JOHNSTON

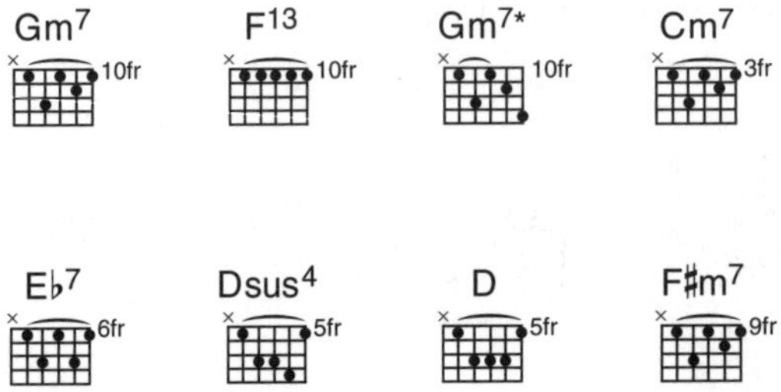

♩ = 115

Intro

4/4 | Gm7 / / F13 / | Gm7 / / F13 / :‖ x3 | Gm7 / / F13 / | Gm7* / / / / |

Verse 1

| Gm7 F13
Down around the corner
| Gm7 F13
A half a mile from here
| Gm7
See them long trains run
F13 | Gm7
And you watch them disappear.

Chorus

F13 | Cm7
Without love
| | Gm7 F13
Where would you be now?
| Gm7 F13 | E♭7 | Dsus4 D | Gm7 F13
Without love. ________________

Verse 2

| Gm7 F13 | Gm7 F13
You know I saw Miss Lucy
| Gm7 F13
Down along the tracks.
| Gm7
She lost her home and her family
F13 | Gm7
And she won't be coming back.

Chorus 2

F13 | Cm7
Without love
| | Gm7 F13
Where would you be now?
| Gm7 F13 | E♭7 | Dsus4 D | Gm7 F13
Without love. ___________________

Verse 3

| Gm7 F13 | Gm7 N.C.
Well the Illinois Central
F♯m7 | Gm7 N.C.
And the Southern Central Freight
F♯m7 | Gm7 N.C.
Gotta keep on pushing, mama,
Gm7 |
'Cause you know they're runnin' late

Chorus 3

| Cm7
Without love
| | Gm7 F13
Where would you be now – now, now, now?
| Gm7 F13 | E♭7 | Dsus4 D | Gm7 F13 | Gm7 F13 |
Without love. _________________ / / / /

Harmonica solo

Gm7*
| / / / / | / / / / | / / / / | / / / /

Cm7 Gm7* F13 Gm7 F13
| / / / / | / / / / | / / / / | / / / /

E♭7 Dsus4 D Gm7 F13
| / / / / | / / / / | / / / /

Verse 4

| Gm7 F13 | Gm7 N.C.
Well the Illinois Central

F♯m7 | Gm7 N.C.
And the Southern Central Freight

F♯m7 | Gm7 N.C.
Gotta keep on pushing, mama,

Gm7 |
'Cause you know they're runnin' late

Chorus 4

F13 | Cm7
Without love

| | Gm7 F13
Where would you be now?

| Gm7 F13 | E♭7 | Dsus4 D | Gm7 F13
Without love. ___________________

Verse 5

| Gm7 F13 | Gm7
Well, pistons keep on churning

F♯m7 | Gm7
And the wheels go 'round and 'round,

F♯m7 | Gm7
And the steel rails are cold and hard

F♯m7 | Gm7 Gm7*
In the miles that they go down.

Chorus 5

```
           | Cm⁷
Without love
|                             | Gm⁷   F¹³
   Where would you be right now?
| Gm⁷  F¹³      | E♭⁷    | Dsus⁴  D  | Cm⁷
          Without love, __________  ooh.
(freely)               |
Where would you be now?
```

Coda

```
 Gm⁷     F¹³ Gm⁷     F¹³ Gm⁷     F¹³ Gm⁷*
||: / / / / | / / / / | / / / / | / / / / :||
(with vocal ad lib.)                 repeat to fade
```

The Look Of Love

Words by HAL DAVID
Music by BURT BACHARACH

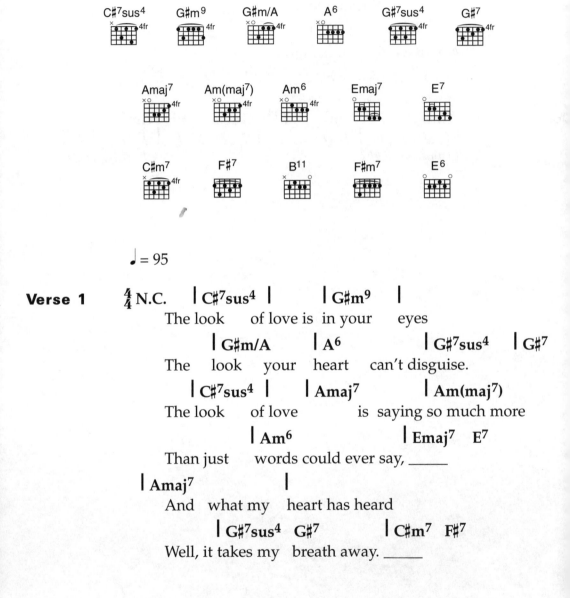

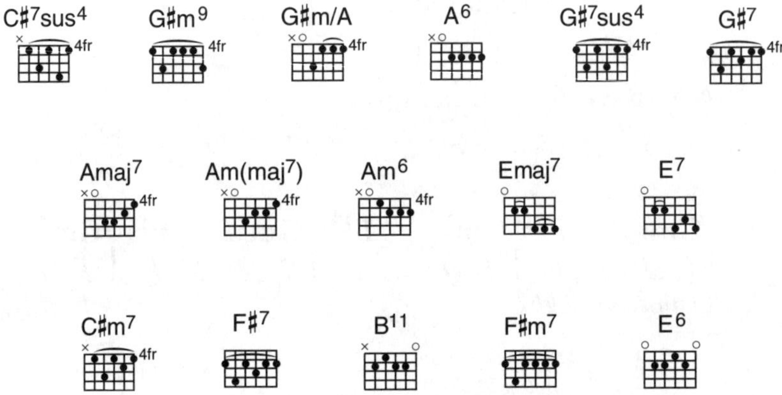

♩ = 95

Verse 1

4/4 **N.C. | C♯7sus4 | | G♯m9 |**
The look of love is in your eyes
| G♯m/A | A6 | G♯7sus4 | G♯7
The look your heart can't disguise.
| C♯7sus4 | | Amaj7 | Am(maj7)
The look of love is saying so much more
| Am6 | Emaj7 E7
Than just words could ever say, ____
| Amaj7 |
And what my heart has heard
| G♯7sus4 G♯7 | C♯m7 F♯7
Well, it takes my breath away. ____

Chorus

| Emaj7
I can hardly wait to hold you,
| B11
Feel my arms around you.
| 2/4 |
How long I have waited,
4/4 | Emaj7
Waited just to love you.
| B11 |
Now that I have found you.

Verse 2

| C♯7sus4 | | G♯m9 |
You've got the look of love – It's on your face,
| G♯m/A | A6 | G♯7sus4 | G♯7
A look that time can't erase.
| C♯7sus4 | | Amaj7 | Am(maj7)
Be mine tonight, let this be just the start
| Am6 | Emaj7 E7
Of so many nights like this. _____
| Amaj7 |
Let's take a lover's vow
| G♯7sus4 G♯7 | C♯m7 F♯7
And then seal it with a kiss. _____

Chorus 2

| Emaj7
I can hardly wait to hold you,
| B11
Feel my arms around you.
| 2/4 |
How long I have waited,
4/4 | Emaj7
Waited just to love you.

| B11 |
Now that I have found you _____

N.C.
Don't

Sax solo

| C♯7sus4 | | G♯m9 |
ever go. / / / / / / / / / / / /

| G♯m/A | A6 | G♯7sus4 | G♯7
/ / / / / / / / / / / / / / / /

| C♯7sus4 | | Amaj7 | Am(maj7)
/ / / / / / / / / / / / / / / /

| Am6 | Emaj7 E7 | Amaj7 |
/ / / / / / / / / / / / / / / /

| G♯7sus4 G♯7 | C♯m7 F♯7 |
/ / / / / / / /

Chorus 3

| Emaj7
I can hardly wait to hold you,
| B11
Feel my arms around you.
| 2/4 |
How long I have waited,
4/4 | Emaj7
Waited just to love you.
| B11 |
Now that I have found you _____
N.C. | C♯7sus4 | | F♯7 | | F♯m7
Don't ever go, don't ever go. _/_ / / / / / / /
| B11 | E6 ‖
I love you so.

Make Me Smile (Come Up And See Me)

Words and Music by
STEVE HARLEY

♩ = 136

Intro

4/4 | (G) / / / / | / / / / | / / / / | /

Verse 1

| N.C. | F | C | G
You've done it all: you've broken every code ____
| F | C | G7 |
And pulled the rebel to the floor. / / / /
| G | F | C | G
You've spoilt the game, no matter what you say, ____
| F | C | G |
For only metal, what a bore.________
| F | C
Blue eyes, blue eyes,
| F | C | G |
How can you tell so many lies? / / / /

Chorus

| Dm | F | C | G
Come up and see me, make me smile._______
| Dm | F | C | G
I'll do what you want, running wild._______

Verse 2

```
| N.C.           | F      | C          | G
   There's nothing left, all gone and run away.
| F              | C      | G7     |
   Maybe you'll tarry for a while.      / / / /
| G          | F    | C          | G
   It's just a test, a game for us to play.
| F        | C          | G          |
   Win or lose, it's hard     to smile. ______
| F        | C
   Resist,      resist:
| F              | C               | G          |
   It's from yourself you'll have to     hide. ______/ / / /
```

Chorus 2

```
| Dm             | F               | C      | G
   Come up and see me, make me smile.______
| Dm                 | F           | C      | G
   I'll do what you want, running wild.______
```

Guitar solo

```
  N.C.          F            Em           F
| / / / /  | / / / /  | / / / /  | / / / /

  Am            Em                        G            G7
| / / / /  | / / / /  | / / / /  | / / / /  | / / / /

  Dm            F            C            G
||: / / / /  | / / / /  | / / / /  | / / / / :||
```

Verse 3

```
| N.C.            | F            | C               | G
   There ain't no more:  you've taken everything
| F            | C    | G7          |
   From my belief in Mother Earth. ___/ / / /___
| G             | F       | C          | G
   Can you ignore my faith in everything?
| F                        | C                   | G          |
   'Cause I know what faith is and what it's     worth. ______
```

| F | C
Away, away,
| F | C | G |
And don't say maybe you'll try ___/ / / /

Chorus 3
| Dm | F | C | G
To come up and see me, to make me smile.________
| Dm | F | C | G | N.C.
I'll do what you want, just running wild.________

Link
F C F C
| / / / / | / / / / | / / / / | / / / /
G
| / / / / | / / / /

Chorus 4
| Dm | F | C | G
Come up and see me, make me smile._______
| Dm | F | C | G | N.C.
I'll do what you want, running wild._______

Link 2
F C F C
| / / / / | / / / / | / / / / | / / / /
G
| / / / / | / / / /

to fade
Chorus 5
| Dm | F | C | G
Come up and see me, make me smile._______
| Dm | F | C | G
I'll do what you want, running wild._______

Lust For Life

Words and Music by
DAVID BOWIE AND JAMES OSTERBERG

♩ = 100 (double time feel)

Intro

4/4 | N.C. *drums 2-bars* ‖: (A) / / / / | / / / / :‖‖: A / / / / G D :‖ x4

‖: E7 / / / / :‖ x4 ‖: A / / / / G D :‖ x4 ‖: E7 / / / / :‖ x4

| G7 / / / / | / / / / | D / / / / | / / / / |

| E / / / / | / / / / | A / / / / G D | A / / / / G D |

Verse 1

| A G D | A
Here comes Johnny Yen again
G D | E7 |
With the liquor and drugs and the flesh machine.
| |
He's gonna do another strip-tease.
| A G D | A G D
Hey man, where'd you get that lotion?
| A G D | A
I've been hurting since I've bought the gimmick
| E7 |
About something called love, yeah, something called love.
| |
Well, that's like hypnotizing chickens.

Chorus

| G^7 |
Well, I'm just a modern guy.
| D |
Of course, I've had it in the ear before.
| E |
I have a lust for life,
| (A) | N.C. *drums*
'Cause of a lust for life. / / / /

Link

(A)
| / / / / | / / / /

Verse 2

| |
I'm worth a million in prizes
| (E^7) |
With my torture film, drive a GTO,
| |
Wear a uniform all on a government loan.
| A G D | A
I'm worth a million in prizes
G D | A G D | A
Yeah, I'm through with sleeping on the sidewalk
G D | E^7 |
No more beating my brains, no more beating my brains
| |
With liquor and drugs, with liquor and drugs.

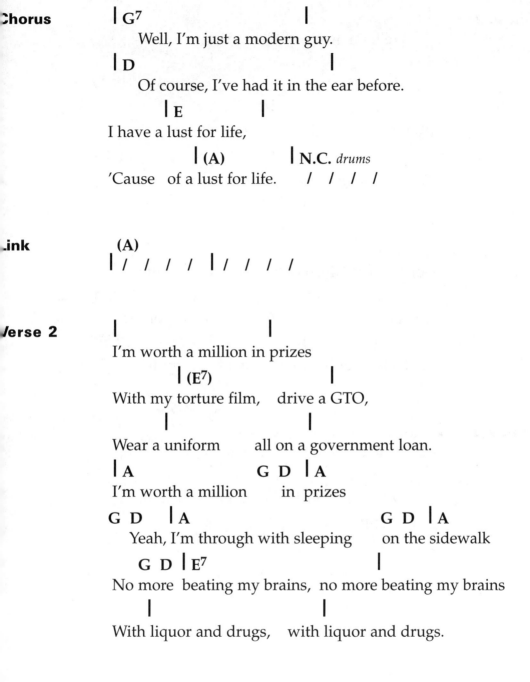

Chorus 2

| G7 |
Well, I'm just a modern guy
| D |
Of course, I've had it in my ear before.
| E |
Well, I've a lust for life (lust for life),
| A |
'Cause of a lust for life (oooh),
| |
I got a lust for life (oooh),
| E7 | | |
Got a lust for life (oooh), oh, a lust for life (oooh),
| A G D | A | G D | A
Oh, a lust for life (oooh), a lust for life (oooh),
| E | | |
I got a lust for life (oooh), got a lust for life. / / / /

Chorus 3

| G7 |
Well, I'm just a modern guy.
| D |
Of course, I've had it in the ear before.
| E |
I have a lust for life,
| A G D | A
'Cause of a lust for life.

Verse 3

```
G D   | A                  G D | A
   Well, here comes Johnny        Yen again
        | E7                      |
With the liquor and drugs and the flesh machine.
|                                |
I know he's gonna do another strip-tease.
| A                      G  D  | A
Hey man, where'd you  get that      lotion?
G D  | A                 G   D   | A
   Your skin starts itching once you     buy the gimmick
      | E7                       |
About something called love – oh love, love, love.
     |                        |
Well, that's like hypnotizing chickens.
```

Chorus 4

```
| G7                             |
    Well,  I'm just a modern guy.
| D                                 |
    Of course, I've had it in the ear before.
           | E                |
And I've a lust for life        (lust for life)
             | A             G D | A
'Cause I've a lust for life           (lust for life)
G D   | A            G D      | A
   Got a lust for life,      yeah, a lust for life.
       | E                  |
I got a lust for life,  oh a lust for life.
      |                      |
Got a lust for life, yeah, a lust for life.
       | A             G D | A            G D
I got a lust for life,        a lust for life,
| A           G D | A
Lust for life,        lust for life,
| E
Lust for life. (fade)
```

Maggie May

Words and Music by
ROD STEWART AND MARTIN QUITTENTON

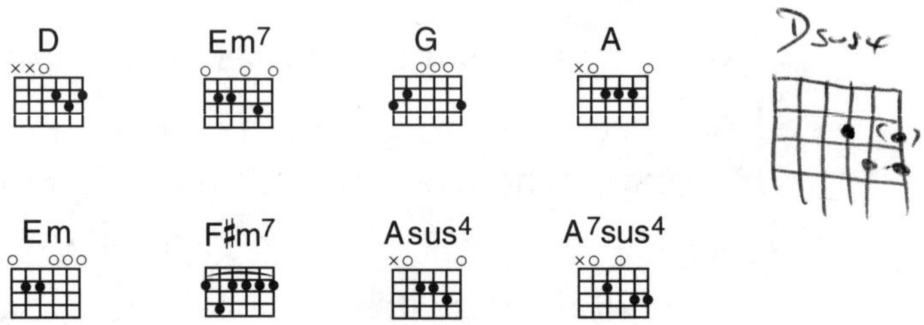

♩ = 128

(half time feel)

Intro

D	Em7	G	D
/ / / /	/ / / /	/ / / /	/ / / /
D	Em7	G	D
/ / / /	/ / / /	/ / / /	/ / / /

(a tempo)

Verse 1

| A | G | D
Wake up Maggie, I think I've got something to say to you:

| A | G | D
It's late September and I really should be back at school.

| G | D
I know I keep you amused

| G | A
But I feel I'm being used.

| Em | F♯m7 | Em
Oh Maggie, I couldn't have tried any more.

| Asus4 | Em | A
You led me away from home

| Em | A
Just to save you from being alone.

| Em | A | D
You stole my heart and that's what really hurts.

Verse 2

| D | A | G
The morning sun when it's in your face
| D
Really shows your age.
| | A | G
But that don't worry me none –
| D
In my eyes you're everything.
| | G | D
I laughed at all of your jokes,
| G | A
My love you didn't need to coax.
| Em | F♯m^7 | Em
Oh Maggie, I couldn't have tried any more.
| Asus^4 | Em | A
You led me away from home
| Em | A
Just to save you from being alone.
| Em | A | D
You stole my soul and that's a pain I can do without.

Verse 3

| | A | G | D
All I needed was a friend to lend a guiding hand
| | A
But you turned into a lover and,
| G | D
Mother, what a lover, you wore me out.
| | G | D
All you did was wreck my bed
| G | A
And in the morning kick me in the head.

| Em | F♯m^7 | Em

Oh Maggie, I couldn't have tried any more.

| Asus^4 | Em | A

You led me away from home

| Em | A

'Cause you didn't want to be alone.

| Em | A G | D |

You stole my heart, I couldn't leave you if I tried. / / / /

Instrumental

Em^7 A D G

| / / / / | / / / / | / / / / | / / / /

Em^7 D G A^{7}sus^4 D

| / / / / | / / / / | / / / / | / / / /

Verse 4

| A | G | D

I suppose I could collect my books and get on back to school,

| | A | G

Or steal my Daddy's cue

| D

And make a living out of playing pool,

| | G | D

Or find myself a rock and roll band

| G | A

That needs a helping hand.

| Em | F♯m^7 | Em

Oh Maggie, I wished I'd never seen your face.

| Asus^4 | Em | A

You made a first class fool out of me

| Em | A

But I'm as blind as a fool can be.

| Em | A G | D |

You stole my heart but I love you anyway. / / / /

```
nstrumental  Em7          A            D            G
             | / / / /    | / / / /    | / / / /    | / / / /
             Em7          A            D
             | / / / /    | / / / /    | / / / /    | / / / /
             Em7          A            D            G
             | / / / /    | / / / /    | / / / /    | / / / /
             Em7          G
             | / / / /    | / / / /

             (half time feel)
             D            Em7          G            D            x5
             ||: / / / /  | / / / /    | / / / /    | / / / /  :||

             (a tempo)
oda          | D        | Em7      | G            | D
             Maggie,   I wish I'd   never seen your face.
             D            Em7          G
             | / / / /    | / / / /    | / / / /
             | D     |          | Em7  | G        | D
                 I'll get on back home,  one of these days.
             | D     | Em7      | G         | D
             Ooh.______________  / / / /     / / / /
             D            Em7          G            D    (fade)  ||
             | / / / /    | / / / /    | / / / /    | / / / /
```

Miss You

Words and Music by
MICK JAGGER AND KEITH RICHARDS

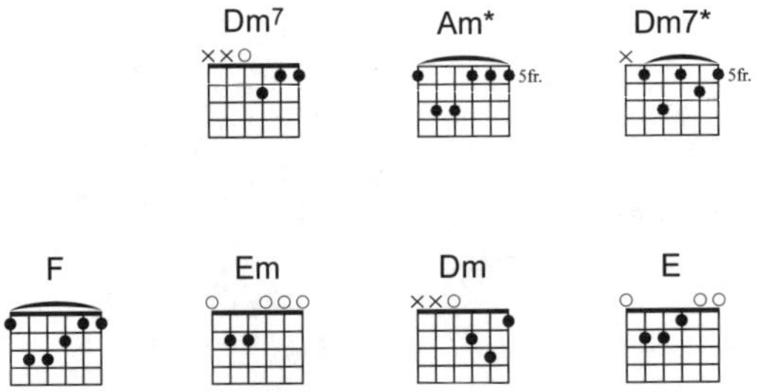

♩ = 105

Intro 4/4
Am Dm7
| / / / / | / / / / | / / / / | / / / / |
Am Dm7
| / / / / | / / / / | / / / /

Verse 1
| | Am |
I've been holding out so long, I've been sleeping all alone,
| Dm7
Lord I miss you.
| | Am |
I've been hanging on the phone, I've been sleeping all alone,
| Dm7
I want to kiss you.

Chorus 1
‖: | Am*
Oooh oooh oooh oooh oooh oooh oooh,
|
Oooh oooh oooh oooh oooh oooh oooh,
| Dm7* :‖
Oooh oooh oooh.

Verse 2

| Am
Well, I've been haunted in my sleep, you've been
|
starring in my dreams,
| Dm7
Lord I miss you child. | | Am
|
I've been waiting in the hall, been waiting on your call
| Dm7
When the phone rings.
|
It's just a friend of mine that say,
| Am
"Hey, what's the matter man?
|
We're gonna come round at twelve
| Dm7 |
With some Puerto Rican girls that are just dying to meet you.
| Am
We're gonna bring a case of wine
|
Hey, let's go mess and fool around,
| Dm7
You know, like we used to."

Chorus 2

||: | Am*
Aaah aaah aaah aaah aaah aaah aaah,
|
Aaah aaah aaah aaah aaah aaah aaah,
| Dm7* :||
Aaah aaah aaah-aaah. / / / /

Bridge

| F | Em | Dm |
Oh, baby why you wait so long? / / / /
| F | Em | Dm |
Oh, baby why you wait so long?
| E
Won't you come home, come home!
| | Dsus2 A | Dsus2 A | E
I said, can't you see that this old boy has been a-lonely

Link

| Am | | Dm7 |
/ / / / / / / / / / / /

Verse 3

| | Am |
(*spoken*) I've been walking in Central Park, singing after dark,
| Dm7
People think I'm crazy,
| | Am |
I've been stumbling on my feet, shuffling through the street,
| Dm7 |
Asking people, "What's the matter with you, boy?"
| Am | | Dm7 |
Sometimes I want to say to myself, sometimes I say:

Chorus 3

| Am*
Oooh oooh oooh oooh oooh oooh,
|
Oooh oooh oooh oooh oooh oooh oooh,
| Dm7*
I wanna kiss you, child.
| | Am7*
I guess I'm lying to myself:
|
It's just you and no-one else.

| Dm7*
Lord I wanna kiss you, child.

Chorus 4 ||: | **Am***
Ah ah ah ah ah ah ah,
|
Ah ah ah ah ah ah ah,
| **Dm7*** :|| *repeat vocal ad lib to fade*
Ah ah ah ah.

Moondance

Words and Music by
VAN MORRISON

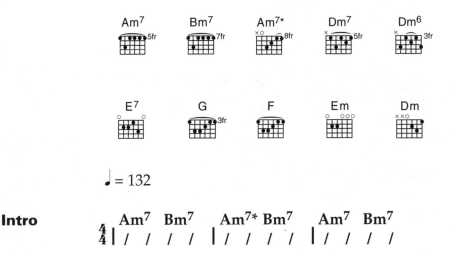

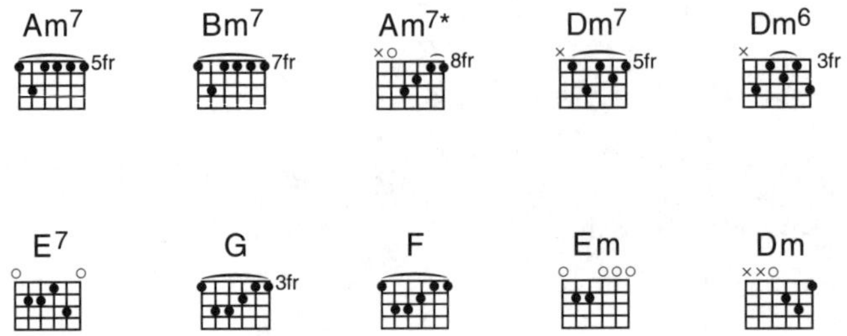

♩ = 132

Intro

4/4 | Am7 / Bm7 / / / | Am7* / Bm7 / / / | Am7 / Bm7 / / / |

Verse 1

| Am7* Bm7 | Am7 Bm7 | Am7*
Well, it's a marvellous night for a Moondance

Bm7 | Am7 Bm7 | Am7*
With the stars up above in your eyes,

Bm7 | Am7 Bm7 | Am7*
A fantabulous night to make romance

Bm7 | Am7 Bm7 | Am7*
'Neath the cover of October skies.

Bm7 | Am7 Bm7 | Am7*
And all the leaves on the trees are falling

Bm7 | Am7 Bm7 | Am7*
To the sound of the breezes that blow,

Bm7 | Am7 Bm7 | Am7*
And I'm trying to please to the calling

Bm7 | Am7 Bm7 | Am7*
Of your heart-strings that play soft and low.

ridge

```
Bm7                  | Dm7 | Am7           | Dm7        | Am7
      And all the night's magic seems to whisper and hush,
             | Dm7 | Am7                 | N.C.    Dm6
And all the soft    moonlight seems to shine
          | N.C.      E7
In your blush.
```

horus

```
      | Am7  Dm7          | Am7       Dm7
Can I just   have one a-more moondance
       | Am7  Dm7     | Am7     Dm7
With you,          my love?
      | Am7  Dm7          | Am7   Dm7
Can I just   make some more romance
          | Am7  Dm7     | Am7   E7
With a-you,           my love?
```

erse 2

```
          | Am7          Bm7          | Am7*
Well, I wanna make love to you tonight,
Bm7        | Am7        Bm7           | Am7*
      I can't wait 'til the morning has come,
Bm7        | Am7              Bm7  | Am7*
      And I know now the time is just right
Bm7                 | Am7   Bm7            | Am7*
      And straight into my arms you will run.
Bm7                    | Am7    Bm7            | Am7*
      And when you come my heart will be waiting
Bm7      | Am7              Bm7  | Am7*
To make sure that you're never alone,
Bm7              | Am7      Bm7                | Am7*
      There and then all my dreams will come true, dear;
Bm7        | Am7      Bm7           | Am7*
There and then I will make you my own.
```

Bridge 2

Bm7 | Dm7 | Am7 | Dm7 | Am7
And every time I touch you, you just tremble inside,
| Dm7 | Am7 | N.C. Dm6
Then I know how much you want me that
N.C. | E7
You can't hide.

Chorus 2

| Am7 Dm7 | Am7 Dm7
Can I just have one a-more moondance
| Am7 Dm7 | Am7 Dm7
With you, my love?
| Am7 Dm7 | Am7 Dm7
Can I just make some more romance
| Am7 Dm7 | Am7 E7
With a-you, my love?

Piano solo

Am7 Bm7 Am7* Bm7 x8
||: / / / / | / / / / :||

Sax solo

Dm7 Am7 Dm7 Am7
| / / / / | / / / / | / / / / | / / / /
Dm7 Am7 N.C. Dm6 N.C. E7
| / / / / | / / / / | / / / / | / / / /
Am7 Dm7 Am7 Dm7 Am7 Dm7 Am7 Dm7
| / / / / | / / / / | / / / / | / / / /
Am7 Dm7 Am7 Dm7 Am7 Dm7 Am7 E7
| / / / / | / / / / | / / / / | / / Well it's a

'erse 3
(with vocal ad lib.)

```
| Am7      Bm7        | Am7*
Marvellous night for a Moondance
Bm7       | Am7   Bm7          | Am7*
    With the stars up above in your eyes,
Bm7    | Am7   Bm7          | Am7*
    A fantabulous night to make romance
Bm7     | Am7   Bm7    | Am7*
'Neath the cover of October skies.
Bm7            | Am7        Bm7     | Am7*
    And all the leaves on the trees are falling
Bm7  | Am7   Bm7           | Am7*
To the sound of the breezes that blow,
Bm7       | Am7    Bm7        | Am7*
    And I'm trying to please to the calling
Bm7      | Am7          Bm7           | Am7*
    Of your heart-strings that    play soft and low.
```

ridge 3

```
Bm7            | Dm7 | Am7        | Dm7      | Am7
    And all the night's magic seems to whisper and hush,
            | Dm7 | Am7         | N.C.   Dm6
And all the soft   moonlight seems to shine
      | N.C.    E7
In your blush.
```

horus 3

```
  | Am7  Dm7      | Am7     Dm7
Can I just   have one a-more moondance
   | Am7  Dm7    | Am7   Dm7
With you,       my love?
  | Am7  Dm7      | Am7  Dm7
Can I just   make some more romance
     | Am7  Dm7   | Am7
With a-you,       my love?
```

Coda

E^{7} | Am^{7} Bm^{7} | Am^{7*}
One more moondance with you

Bm^{7} | Am^{7} Bm^{7} | Am^{7*} Bm^{7}
In the moonlight

| Am^{7} Bm^{7} | Am^{7*} Bm^{7}
On a magic night.

| Am^{7} Bm^{7} | Am^{7*} Bm^{7} | Am^{7} Bm^{7} | Am^{7*} Bm
La, la, la, la, la in the moonlight _____

| Am^{7} Bm^{7} | Am^{7*} Bm^{7}
On a magic night.

| Am^{7} G | F Em | Dm N.C. | Am^{7}
Can't I just have one more dance with you, my love?

More Than A Feeling

Words and Music by
TOM SCHOLZ

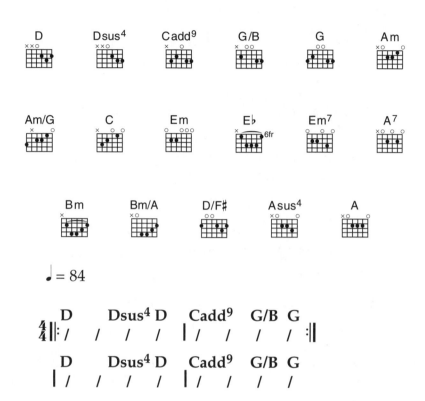

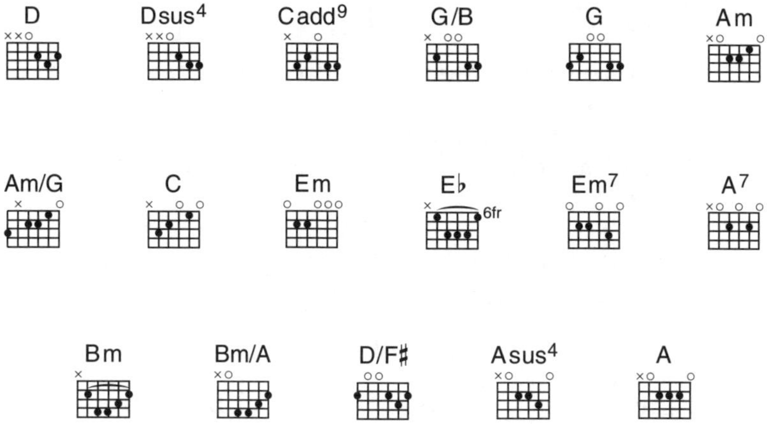

♩ = 84

ntro

4/4 ‖: D Dsus^4 D | Cadd^9 G/B G :‖

| D Dsus^4 D | Cadd^9 G/B G

erse 1

| D Dsus^4 D | Cadd^9 G/B G
I looked out this morn - ing and the sun was gone,
| D Dsus^4 D | Cadd^9 G/B G
Turned on some mus - ic to start my day
| D Dsus^4 D | Cadd^9 G/B G
And lost myself in a familiar song:
| D Dsus^4 D | Cadd^9 | G/B
I closed my eyes and I slipped away.______

Link 1

Am Am/G D
| / / / / | / / / /

G C Em D G C Em D
| / / / / | / / / / | / / / / | / / / /

Chorus

|G C |Em D
It's more than a feeling, (more than a feeling)

|G C |Em D
When I hear that old song they used to play,

|G C |Em D
And I begin dreaming (more than a feeling)

|G C |E♭
'Til I see Marianne walk away.

|Em7 |A7 |Bm Bm/A |
I see my Marianne walking away.________

G D/F♯ Asus^4 A
| / / / / | / / / / | / / / /

Guitar solo

D G D/F♯ A D G D/F♯ A
| / / / / | / / / / | / / / / | / / / /

D G Bm A D Bm Em^7 A
| / / / / | / / / / | / / / / | / / / /

G G D/F# Em D
| / / / / | / / / / | / / / /

Link 2

D Cadd^9 G/B G
||: / / / / | / / / / :||

Verse 2

```
|D        Dsus4 D       |Cadd9       G/B   G
When I'm tir  -  ed  and thinking cold
 |D          Dsus4 D     |Cadd9 G/B   G
I hide in my mu  -  sic, forget  the  day,
   |D          Dsus4 D |Cadd9          G/B   G
And dream of a girl        I used to know
 |D          Dsus4 D      |Cadd9   G/B  Cadd9 |
I closed my eyes   and she slipped away.________

 D       Dsus4 D   Cadd9   G/B   G    D        Dsus4 D
| /   /   /   /  | /   /   /   /  | /   /   /   /

|Cadd9   G/B    G |D   Dsus4  D |Cadd9   G/B  Cadd9
        She slipped a-way.____________________

 D       Dsus4 D   Cadd9            G/B
| /   /   /   /  | /   /   /   /  | /   /   /   /
```

Link 3

```
 Am   Am/G   D
| / / / / | / / / / | / / / /

 G    C      Em    D      G    C      Em    D
| / / / / | / / / / | / / / / | / / / /
```

Chorus 2

```
   |G          C       |Em              D
It's more than a feeling,  (more than a feeling)
       |G           C               |Em     D
When I hear that old song they used to play,
    |G    C        |Em             D
And I begin dreaming (more than a feeling)
    |G     C         |Em    D
'Til I see Marianne walk away.______
```

Coda

```
 G    C      Em    D
||: / / / / | / / / / :|| to fade
```

Mustang Sally

Words and Music by
BONNY RICE

♩ = 105

Intro

C
4/4 | / / / / | / / / / | / / / /

Verse 1

| | |
Mustang Sally, / / / / / / / /

| | |
Guess you better slow your Mustang down.

| |
Oh Lord, what I said now:

| | F7
Mustang Sally now baby,

| | | | C7
Oh Lord, guess you better slow your Mustang down,

| |
Huh! Oh yeah.

| | G7 |
You been runnin' all over town now,

| F7 N.C. |
Oh, I guess I have to put your flat feet

| C
On the ground.

| |
Huh! what I said now.

|
Listen!

Verse 2

| C |
All you wanna do is ride around, Sally
| |
(Ride, Sally, ride).
| |
All you wanna do is ride around, Sally
| |
(Ride, Sally, ride).
| F7 |
All__ you wanna do is ride around, Sally
| |
(Ride, Sally, ride), huh.
| C7 |
All you wanna do is a-ride around, Sally,
| |
O Lord (ride, Sally, ride), well listen to this:
| G7 |
One of these early mornings, hey.
| F7 N.C. | | C
Wow! gonna be wipin' your weepin' eyes, huh.
| |
What I said now.
|
Look-a-here:

Verse 3

| C |
I bought you a brand new Mustang
| |
A nineteen sixty-five, huh!
| |
Now you come around signifying a woman
| |
That don't wanna let me ride.
| F^7 |
Mustang____ Sally now baby, oh Lord,
| | | C^7
Guess you better slow that Mustang___ down.
| | |
Huh, oh Lord! Look here:
| G^7 |
You been runnin' all over town.
| F^7 N.C. | C
Oh! I got to put your flat feet on the ground.
| |
Huh, what I said now, hey,
|
Let me say it one more time, y'all.

Coda

||: C |
Now all you wanna do is ride around, Sally
| | :|| *repeat and fade*
(Ride, Sally, ride).

Oliver's Army

Words and Music by
DECLAN McMANUS

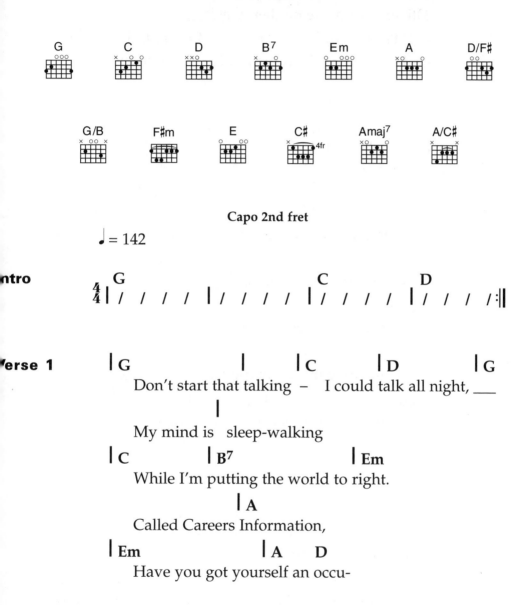

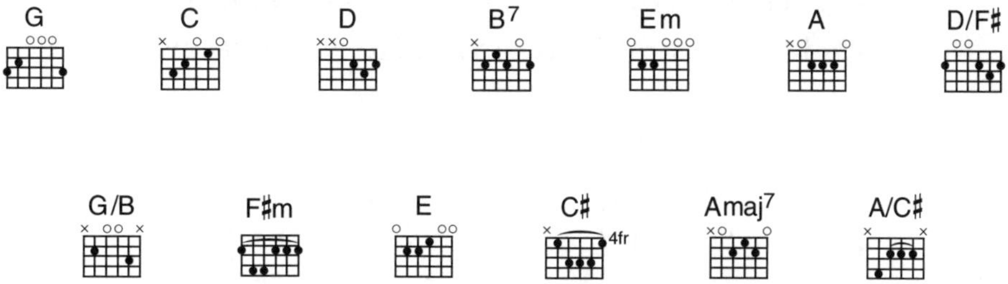

Capo 2nd fret

♩ = 142

Intro

4/4 | G / / / / | / / / / | C / / / / | D / / / / :||

Verse 1

| G | | C | D | G
Don't start that talking – I could talk all night, ___

|
My mind is sleep-walking

| C | B7 | Em
While I'm putting the world to right.

| A
Called Careers Information,

| Em | A D
Have you got yourself an occu-

Chorus

| G | C D
Oliver's army is here to stay,
-pation?

| G | C D | G
Oliver's army are on their way, ____

D/F♯ | Em D | C G/B | D | G
And I would rather be anywhere else but here today.

Link

G C D
| / / / / | / / / / | / / / /

Verse 2

| G | | C | D | C
There was a checkpoint charlie: he didn't crack a smile. __

|
But it's no laughing party

| C | B7 | Em
When you've been on the murder mile.

| A
Only takes one itchy trigger:

| Em | A D
One more widow, one less white nigger.

Chorus 2

| G | C D
Oliver's army is here to stay,

| G | C D | G
Oliver's army are on their way, ____

D/F♯ | Em D | C G/B | D | G
And I would rather be anywhere else but here today.

Link

G C D
| / / / / | / / / / | / / / /

Bridge

| F♯m | E | D | C♯
Hong Kong is up for grabs, London is full of Arabs.
| B⁷ | E | D | E
We could be in Palestine, over-run by the Chinese line
| D
With the boys from the Mersey
| E |
And the Thames and the Tyne. _____

Verse 3

| A | | D | E | A
But there's no danger, it's a professional career;
|
Though it could be arranged
| D | C♯ | F♯m
With just a word in Mr Churchill's ear.
| B⁷ | F♯m
If you're out of luck or out of work
| B⁷ E | A | D E
We could send you to Johannesburg.

Chorus 3

| A | D E
Oliver's army is here to stay,
| A | D E | A
Oliver's army are on their way, ____
Amaj⁷ | F♯m E | D A/C♯ | E |
And I would rather be anywhere else but here to-
||: A Amaj⁷ | F♯m E | D A/C♯ | E :||
-day. And I would rather be anywhere else but here to-

Coda

||: | D | E | A :|| *to fade*
Oh-oh-oh-oh oh, oh-oh-oh-oh-oh.

New Kid In Town

Words and Music by
JOHN SOUTHER, GLENN FREY AND DON HENLEY

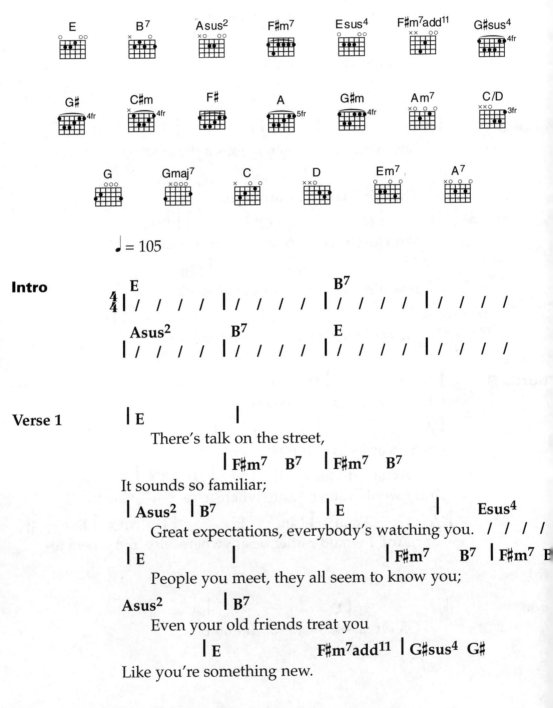

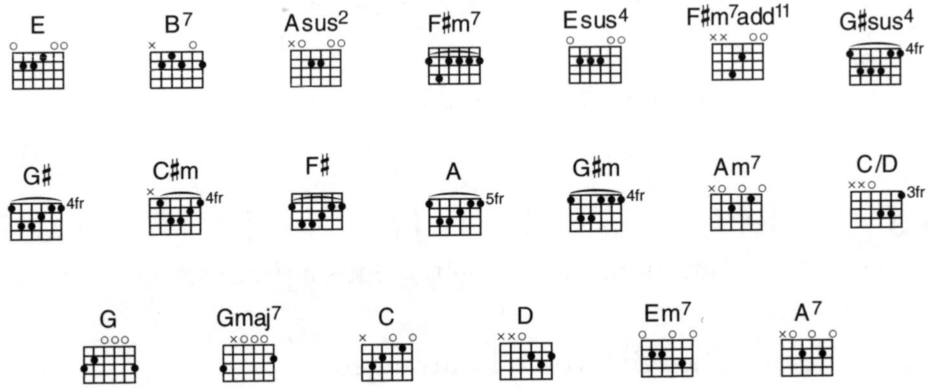

♩ = 105

Intro

E		**B^7**	
/ / / /	/ / / /	/ / / /	/ / / /

$Asus^2$	**B^7**	**E**	
/ / / /	/ / / /	/ / / /	/ / / /

Verse 1

| **E** |
There's talk on the street,
| **$F\sharp m^7$** **B^7** | **$F\sharp m^7$** **B^7**
It sounds so familiar;
| **$Asus^2$** | **B^7** | **E** | **$Esus^4$**
Great expectations, everybody's watching you. / / / /
| **E** | | **$F\sharp m^7$** **B^7** | **$F\sharp m^7$** **B**
People you meet, they all seem to know you;
$Asus^2$ | **B^7**
Even your old friends treat you
| **E** **$F\sharp m^7add^{11}$** | **$G\sharp sus^4$** **G♯**
Like you're something new.

Chorus

```
| C#m              | F#    | C#m               | F#
      Johnny come lately,        the new kid in town.
| C#m           | F#        | F#m7                   | B7
      Everybody loves you          so don't let them down.
```

Verse 2

```
| E                    | N.C.              | F#m7  B7     | F#m7  B7
    You look in her eyes, the music begins to play;
| Asus2  | B7                 | E
    Hopeless romantics, here we go again.
|              |                               | F#m7  B7   | F#m7  B7
    But after a while  you're looking the other   way,
          | Asus2        | B7
It's those           restless hearts
           | E       F#m7add11 | G#sus4  G#
That never mend.
```

Chorus 2

```
| C#m              | F#    | C#m               | F#
      Johnny come lately,        the new kid in town,
| C#m             | F#      | F#m7                 | B7
      Will she still love you        when you're not around?____
```

Guitar solo

```
  E                                 B7
| / / / / | / / / / | / / / / | / / / /
  Asus2     B7          E         A  G#m F#m7 E
| / / / / | / / / / | / / / / | /  /    /   /
```

Bridge

```
| B7              |                       | E       |          |
There's so many things you should have told her   / / / /
| B7                                   | C#m
But night after night you're willing to hold her,
| F#            | Am7          | C/D   D
Just hold her,   tears on your shoulder.
```

Verse 3

```
| G                    | Gmaj7
    There's talk on the street,
            | Am7      D   | C/D   D
It's there to remind you
| C                    | D
    That it doesn't really matter
          | G            Gmaj7  C  |  G  Am7  D
Which side____ you're on.
| G                  |
    You're walking away
                   | Am7      D   | C/D   D
And they're talking behind you;
             | C
    They will never forget you
  | D                    | G        | B7
'Til somebody new comes along.
```

Chorus 3

```
| Em7                | A7      | Em7                      | A7
    Where you been lately?       There's a new kid in town
| Em7           | A7
    Everybody loves him,   don't they?
| Am7                  | B7                   | E      | G#m
    And  he's holding her and you're still around.______
```

Coda

| Asus² | B⁷ | E | G♯m | Asus²
Oh, my, my, there's a new kid in town.______

| B⁷ | E | G♯m | Asus² | Am⁷
Just another new kid in town.______

| E | | C♯m |
Oo--ooh, everybody's talking 'bout the new kid in town.

| E | | C♯m |
Oo--ooh, everybody's walking like the new kid in town.

| E |
There's a new kid in town, I don't want to hear it.

| C♯m |
There's a new kid in town, I don't want to hear it.

| E | | C♯m |
There's a new kid in town, there's a new kid in town.

| E |
There's a new kid in town, everybody's talking.

| C♯m |
There's a new kid in town, people started walking.

||: E |
There's a new kid in town,

| C♯m | :||
There's a new kid in town. / / / There's a

(Repeat to fade)

Pale Blue Eyes

Words and Music by
LOU REED

♩ = 81

Intro

4/4 | F / / / / | / / / /

Verse 1

| F |
Sometimes I feel so happy,
| B♭ | F
Sometimes I feel so sad.
| | Dm
Sometimes I feel so happy
| Gm B♭ | F
But mostly you just make me mad.
| B♭ C | F
Baby, you just make me mad.

Chorus

| | C | | F
Linger on,______ your pale blue eyes.
| | C | | F |
Linger on,______ your pale blue eyes. / / / /

Verse 2

| F |
Thought of you as my mountain-top,
| B♭ | F
Thought of you as my peak.
| | Dm
Thought of you as everything
| Gm B♭ | F
I've had but couldn't keep,
| B♭ C | F
I've had but couldn't keep.

Chorus 2

| | C | | F
Linger on,_______ your pale blue eyes.
| | C | | F |
Linger on,_______ your pale blue eyes. / / / /

Verse 3

| F |
If I could make the world as pure
| B♭ | F
And strange as what I see,
| | Dm
I'd put you in the mirror
| Gm B♭ | F
I put in front of me,
| B♭ C | F
I put in front of me.

Chorus 3

| | C | | F
Linger on,_______ your pale blue eyes.
| | C | | F |
Linger on,_______ your pale blue eyes. / / / /

Guitar solo

F Bb F

| / / / / | / / / / | / / / / | / / / /

Dm Gm Bb F

| / / / / | / / / / | / / / / | / / / /

Bb C F C

| / / / / | / / / / | / / / / | / / / /

F C

| / / / / | / / / / | / / / / | / / / /

F

| / / / / | / / / / | / / / /

Verse 4

| F |

Skip a life completely,

| Bb | F

Stuff it in a cup

| | Dm

She said, 'Money is like us:

| Gm Bb | F

In time it lies but can't stand up.'

| Bb C | F |

Down for you is up.

Chorus 4

| | C | | F

Linger on,_______ your pale blue eyes.

| | C | | F |

Linger on,_______ your pale blue eyes. / / / /

Verse 5

```
| F                              |
    It was good – what we did yesterday,
| B♭                    | F
    And I'd do it once again.
|                        | Dm
    The fact that you are married
     | Gm          B♭        | F
Only proves   you're my best friend.
| B♭       C           | F
    But it's truly,    truly a sin.
```

Chorus 5

```
|          | C       |                 | F
    Linger on,_______   your pale blue eyes.
|          | C       |                 | F       |      ||
    Linger on,_______   your pale blue eyes.
```

Perfect Day

Words and Music by
LOU REED

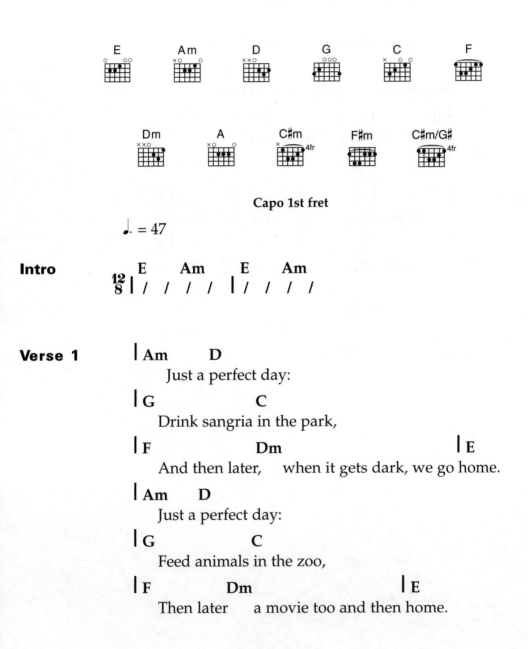

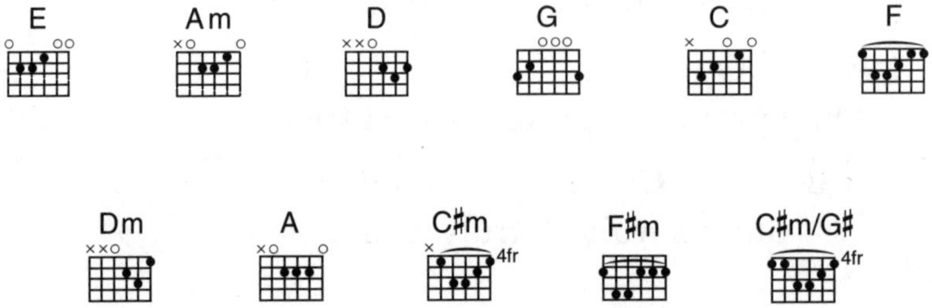

Capo 1st fret

♩. = 47

Intro

12/8 | **E** / / **Am** / / | **E** / / **Am** / / |

Verse 1

| **Am** **D**
Just a perfect day:
| **G** **C**
Drink sangria in the park,
| **F** **Dm** | **E**
And then later, when it gets dark, we go home.
| **Am** **D**
Just a perfect day:
| **G** **C**
Feed animals in the zoo,
| **F** **Dm** | **E**
Then later a movie too and then home.

Chorus

| A D
Oh, it's such a perfect day.
| C♯m D
I'm glad I spent it with you.
| A E
Oh, such a perfect day
| F♯m E D
You just keep me hanging on,
| F♯m E D | $\frac{6}{8}$
You just keep me hanging on. / /

Verse 2

| Am D
Just a perfect day:
| G C
Problems all left alone,
| F Dm | E
Weekenders on our own – It's such fun.
| Am D
Just a perfect day:
| G C
You make me forget myself
| F Dm | E
I thought I was someone else, someone good.

Chorus 2

| A D
Oh, it's such a perfect day.
| C♯m D
I'm glad I spent it with you.
| A E
Oh, such a perfect day
| F♯m E D
You just keep me hanging on,
| F♯m E D
You just keep me hanging on.

Instrumental F♯m E D | / / / / | F♯m E D / / / / | F♯m E D / / / /

Coda ||: C♯m/G♯ G | D A :|| x3
You're going to reap just what you sow.
| C♯m/G♯ G | D A
You're going to reap just what you sow.
C♯m/G♯ G D A
||: / / / / | / / / / :||

Silence Is Golden

Words and Music by
BOB CREWE AND BOB GAUDIO

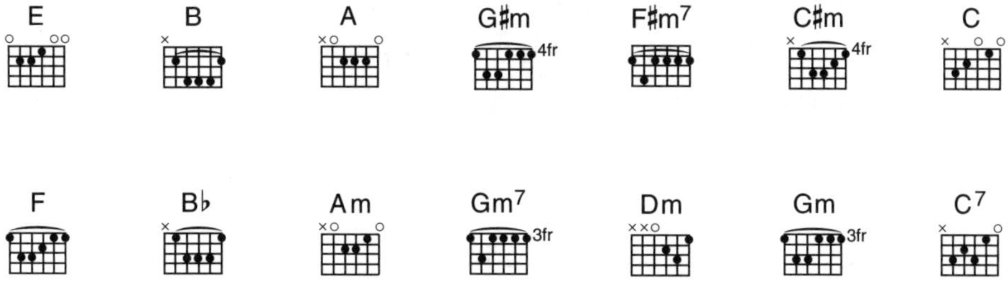

♩ = 110

ntro 4/4 | N.C. | E | B | E | B |
Ooh, ______ Ooh, ______

erse 1 | E | A | E | A
Oh, don't it hurt deep inside ______
| E | B | E | B
To see someone do something to her. ______
| E | A | E | A
Oh, don't it pain to see someone cry
| E | B | E |
Oh, especially when someone is her. / / / /

horus | E | G♯m | F♯m7 B | E
Silence is golden, but my eyes still see.
| | G♯m C♯m
Silence is golden, golden,
| F♯m7 B | E
But my eyes still see.

Verse 2

| E | A | E | A
Talking is cheap, people follow like sheep
| E | B | E | B
Even though there is nowhere to go. _______
| E | A | E | A
How could she tell? He deceived her so well.
| E | B | E |
Pity, she'll be the last one to know. / / / /

Chorus 2

| E | G♯m | F♯m^7 B | E
Silence is golden, but my eyes still see.
| | G♯m C♯m
Silence is golden, golden,
| F♯m^7 B | E
But my eyes still see.

Link

| E | B | E | C |
Ooh, ________ Ooh, ________

Verse 3

| F | B♭ | F | B♭
How many times did she fall for his line?
| F | C | F | C
Should I tell her or should I keep cool? ______
| F | B♭ | F | B♭
And if I tried, I know she'd say I lied,
| F | C | F |
Mind your business, don't hurt her, you fool. / / / /

Chorus 3

| F | Am | Gm⁷ C | F

Silence is golden, but my eyes still see.

| | Am Dm

Silence is golden, golden

| Gm⁷ C | F

But my eyes still see.

| Gm⁷ C⁷ | F

But my eyes still see.

| Gm⁷ C⁷ | F ||

But my eyes still see.

Sloop John B

Traditional
Arranged by
BRIAN WILSON

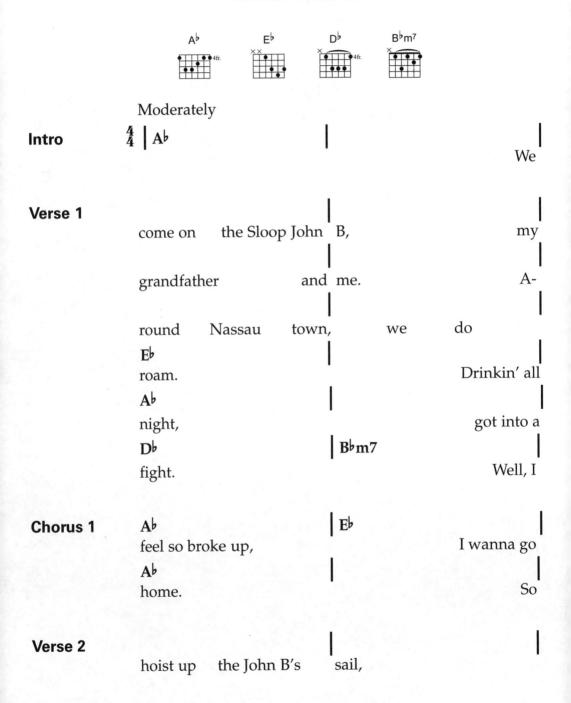

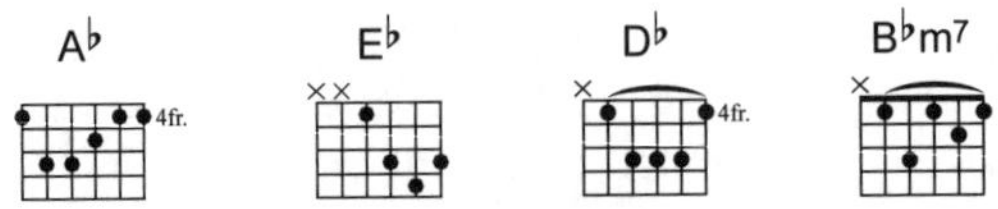

Moderately

Intro 4/4 | A♭ | | We

Verse 1
| | |
come on the Sloop John B, my
| |
grandfather and me. A-
| |
round Nassau town, we do
E♭ | |
roam. Drinkin' all
A♭ | |
night, got into a
D♭ | B♭m7 |
fight. Well, I

Chorus 1
A♭ | E♭ |
feel so broke up, I wanna go
A♭ | |
home. So

Verse 2
| |
hoist up the John B's sail,

| | |
see how the main sail | sets. |

| | |
Call for the Captain a- | shore, let me go |

E♭ | |
home. | Let me go |

A♭ | |
home, | I wanna go |

D♭ | **B♭m7** |
home, yeah, | yeah. Well I |

horus 2

A♭ | **E♭** |
feel so broke up, | I wanna go |

A♭ | |
home. | The |

erse 3

| | |
first mate, he got | drunk. |

| | |
Broke in the Captain's | trunk. |

| | |
The constable had to | come and take him a- |

E♭ | |
way. | Sherriff John |

A♭ | |
Stone, | why don't you leave me a- |

D♭ | **B♭m7** |
lone. | Well I |

horus 3

A♭ | **E♭** |
feel so broke up, | I wanna go |

A♭ | |
home. | So |

Verse 4

hoist up the John B's | sail, |
Hoist up the John B's

see how the main sail | sets. |
sail. See how the main sail

Call for the Captain a - | shore, let me go |
sets.

E♭
home. Let me go | home. I wanna go |

N.C.
home. Let me go | home. Why don't they let me go |
Hoist up the John B's

D♭ | **B♭m7** |
home? | Hoist up the John B's |
sail.
Hoist up the John B's sail.

Chorus 4

A♭ | **E♭** |
sail.
feel so broke up, I wanna go

A♭ | |
home. The

Verse 5

poor cook, he caught the | fins and |

threw away all my grits. | And |

then he took and he ate | up all of my |

E♭ | |
corn. Let me go

A♭ | |
home. Why don't they let me go

	D♭	B♭m7
	home,	This is
Chorus 5	A♭	E♭
	the worst trip	I've ever been
	A♭	
	on.	So
Verse 6		
	hoist up the John B's sail,	
		Hoist up the John B's
	see how the main sail sets.	
	sail.	*See how the main sail*
	Call for the Captain ashore, let me go	
	sets.	
	E♭	
	home. *Let me go*	*home.* I wanna go
	A♭	‖
	home. *Let me go*	*home.*

Smoke On The Water

Words and Music by
JON LORD, RITCHIE BLACKMORE, IAN GILLAN,
ROGER GLOVER AND IAN PAICE

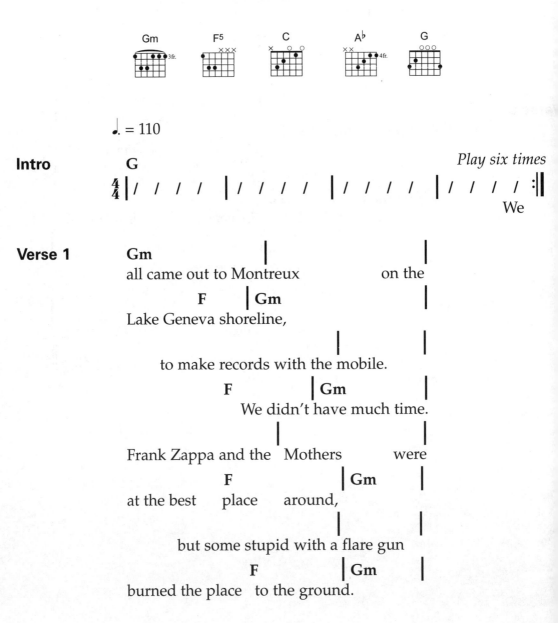

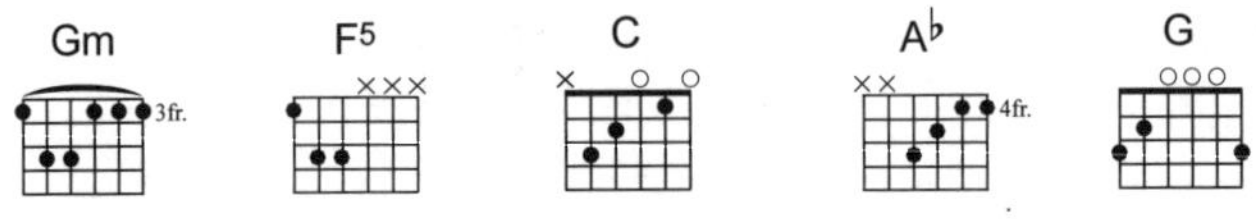

♩. = 110

Intro
G *Play six times*
4/4 | / / / / | / / / / | / / / / | / / / / :||
We

Verse 1
Gm | |
all came out to Montreux on the
F |Gm |
Lake Geneva shoreline,
| |
to make records with the mobile.
F |Gm |
We didn't have much time.
| |
Frank Zappa and the Mothers were
F |Gm |
at the best place around,
| |
but some stupid with a flare gun
F |Gm |
burned the place to the ground.

horus 1

C | A♭ | Gm |
Smoke on the water and fire in the sky.
| C | A♭ |
Smoke on the water.

Gm *(Same riff as intro)*

| / / / / | / / / / | / / / / | / / / / |
| / / / / | / / / / | / / / / | / / / / |

erse 2

Gm | |
They burned down the gambling house, it
F | Gm |
died with an awful sound,
| |
and funky Claude was running in and out
F | Gm |
pulling kids out the ground.
| |
When it was all over we
| F | Gm |
had to find another place,
| |
but Swiss time was running out, it
F | Gm |
seemed that we would lose the race.

horus 2

C | A♭ | Gm |
Smoke on the water and fire in the sky.
| C | A♭ |
Smoke on the water.

Gm *(Same riff as intro)*

| / / / / | / / / / | / / / / | / / / / |
| / / / / | / / / / | / / / / | / / / / |

Interlude

```
Gm                          Cm
|/ / / / |/ / / / |/ / / / |/ / / / |
Gm                          Cm            Gm
|/ / / / |/ / / / |/ / / / |/ / / / |
                            Cm            Gm
|/ / / / |/ / / / |/ / / / |/ / / / |
                            Cm            Gm
|/ / / / |/ / / / |/ / / / |/ / / / |
Cm                          F
|/ / / / |/ / / / |/ / / / |/ / / / |
Gm
|/ / / / |/ / / / |/ / / / |/ / / / |

|/ / / / |/ / / / |/ / / / |/ / / / |
```

Verse 3

```
Gm                             |                       |
      We ended up at the Grand Hotel,
                 F             | Gm                    |
          it was empty,          cold and bare,   but with the
                               |                       |
rolling truck stones thing       just outside,
                 F             | Gm                    |
yeah!          making our        music there.       With a
                               |                       |
  few red lights,              a few old beds,
             F                 | Gm                    |
we made a place to sweat.
                               |                       |
   No matter what we             get out of this
                    F          | Gm                    |
          I know,     I know     we'll never forget.
```

Chorus 3

C | **A♭** | **Gm** |
Smoke on the water and fire in the sky.

| **C** | **A♭** |
Smoke on the water.

Gm *(Same riff as intro)*

| / / / / | / / / / | / / / / | / / / / |
| / / / / | / / / / | / / / / | / / / / |

Coda

(Same riff as intro)

| / / / / | / / / / | / / / / | / / / / |

(Repeat Coda to fade)

Space Oddity

Words and Music by
DAVID BOWIE

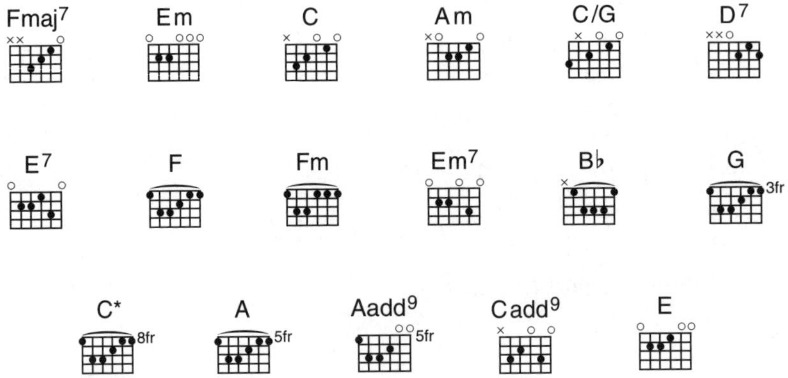

♩ = 67

Intro | **Fmaj7** | | **Em** |
4/4 ‖: / / / / | / / / / :‖
(fade in)

| **C** | | **Em** |
Ground Control to Major Tom,

| **C** | | **Em** |
Ground Control to Major Tom,

| **Am** | **C/G** | | **D7** |
Take your protein pills and put your helmet on.

| **C** | | **Em** |
Ground Control to Major Tom,

| **C** | | **Em** |
Commencing countdown, engines on.

| **Am** | **C/G** | | **D7** |
Check ignition and may God's love be with you.

.ink | N.C. | | | |
(sound effects)

/erse 1

| C | E^7
This is Ground Control to Major Tom,
| F
You've really made the grade,
| Fm C | F
And the papers want to know whose shirts you wear.
| Fm C | F
Now it's time to leave the capsule if you dare.

'erse 2

| C | E^7
'This is Major Tom to Ground Control,
| F
I'm stepping through the door
| Fm C | F
And I'm floating in a most peculiar way
| Fm C | F
And the stars look very different today.'

ridge

| Fmaj^7 | Em^7
'For here am I sitting in a tin can
| Fmaj^7 | Em^7
Far above the world,
| B♭ Am
Planet Earth is blue
| G | F
And there's nothing I can do.'

Instrumental Link

```
C*  F  G  A   C*  F  G  A    Fmaj7          Em7
| /  /  /  / | /  /  /  / || /  /  /  /  | /  /  /  /
Aadd9         Cadd9         D7             E
| /  /  /  / | /  /  /  / | /  /  /  /  | /  /  /  /
```

Verse 3

```
|C                                    |E7
 'Though I'm past one hundred thousand miles,
                |F
I'm feeling very still,
     |Fm                C                  |F
And I think my spaceship knows which way to go.
      |Fm           C                 |F
Tell my wife I love her very much.' – 'She knows.'
```

Verse 4

```
|G                      E7
 'Ground control to Major Tom,
    |Am                 C/G
Your circuit's dead, there's something wrong,
       |D7
Can you hear me, Major Tom?
       |C
Can you hear me, Major Tom?
       |G
Can you hear me, Major Tom? Can you...'
```

Bridge 2

| Fmaj^7 | Em^7
'Here am I floating 'round my tin can,

| Fmaj^7 | Em^7
Far above the Moon,

| B♭ Am
Planet Earth is blue

| G | F
And there's nothing I can do.'

Coda Link

C* F G A C* F G A Fmaj^7 Em^7
| / / / / | / / / / | / / / / | / / / /

Aadd^9 Cadd^9 D^7 E
| / / / / | / / / / | / / / / ‖: / / / / :‖

(to fade)

Start Me Up

Words and Music by
MICK JAGGER AND KEITH RICHARDS

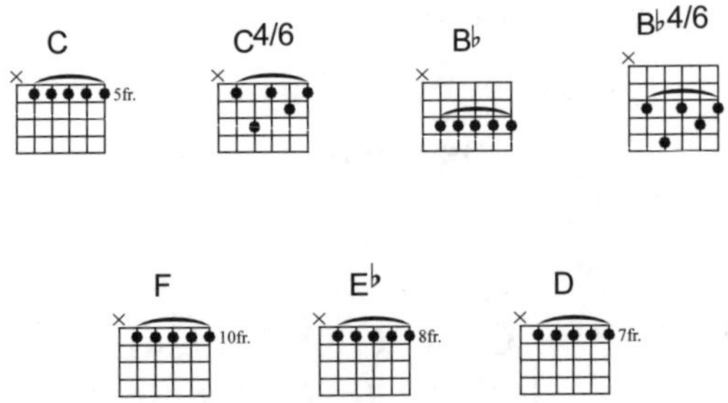

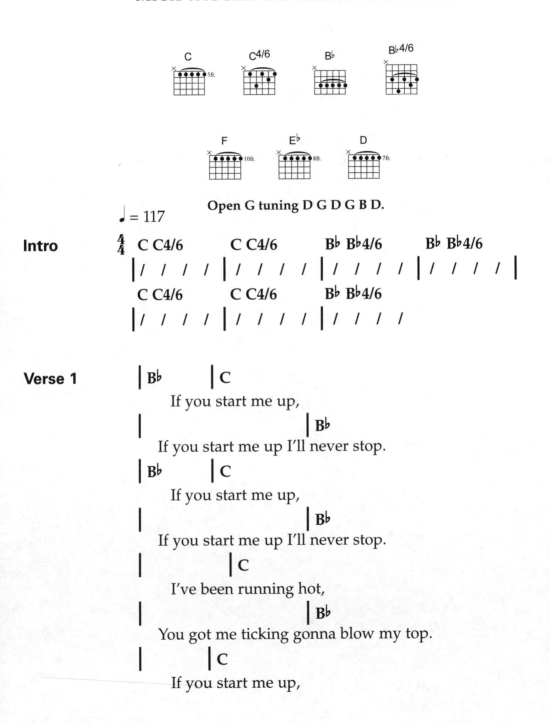

Open G tuning D G D G B D.

♩ = 117

Intro

4/4
```
  C C4/6     C C4/6     B♭ B♭4/6   B♭ B♭4/6
| / / / /  | / / / /  | / / / /  | / / / / |

  C C4/6     C C4/6     B♭ B♭4/6
| / / / /  | / / / /  | / / / /
```

Verse 1

```
| B♭       | C
      If you start me up,
|                            | B♭
   If you start me up I'll never stop.
| B♭       | C
      If you start me up,
|                            | B♭
   If you start me up I'll never stop.
|              | C
      I've been running hot,
|                            | B♭
   You got me ticking gonna blow my top.
|          | C
      If you start me up,
```

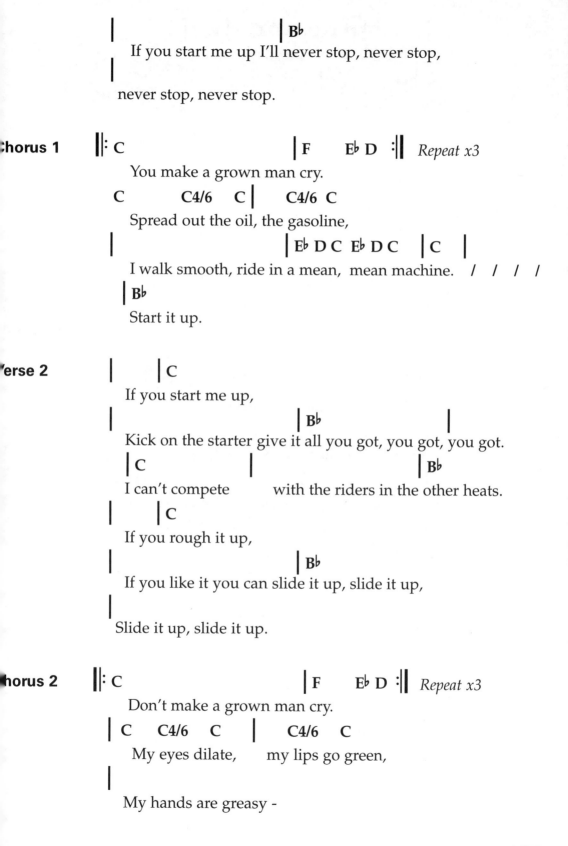

| | Bb
If you start me up I'll never stop, never stop,
|
never stop, never stop.

Chorus 1 ||: C | F Eb D :|| *Repeat x3*
You make a grown man cry.
C C4/6 C | C4/6 C
Spread out the oil, the gasoline,
| | Eb D C Eb D C | C |
I walk smooth, ride in a mean, mean machine. / / / /
| Bb
Start it up.

Verse 2 | | C
If you start me up,
| | Bb |
Kick on the starter give it all you got, you got, you got.
| C | | Bb
I can't compete with the riders in the other heats.
| | C
If you rough it up,
| | Bb
If you like it you can slide it up, slide it up,
|
Slide it up, slide it up.

Chorus 2 ||: C | F Eb D :|| *Repeat x3*
Don't make a grown man cry.
| C C4/6 C | C4/6 C
My eyes dilate, my lips go green,
|
My hands are greasy -

| | E♭ D C E♭ D C | C |
She's a mean, mean machine. / / / /
| B♭ |
Start it up. / / / /

Coda | C
Start me up,
| | B♭
Give it all you got.
|
You got to never, never, never stop.
| C | | B♭ |
Slide it up, start me up. Never, never, never

Chorus 3 ||: C | F E♭ D :|| *Repeat x3*
You make a grown man cry.
| C C4/6 C | C4/6 C
Ride like the wind at double speed,
| E♭ D C E♭ D C | C
I'll take you places that you've never, never seen.
| | B♭ |
/ / / / / / / / / / / /

Coda | C
Start it up,
| | B♭
Let me tell you we will never stop, never stop.
|
Never, never, never stop.
| C |
Start me up, / / / /

| B♭ |
Never stop, never stop, / / / /
| C | | B♭ |
Go, go, you make a grown man cry.
| C | | B♭ |
You, you, you make a dead man cum.
| C | | B♭ | *fade*
You, you, you make a dead man cum. / / / /

Strange Kind Of Woman

Words and Music by
JON LORD, RITCHIE BLACKMORE, IAN GILLAN,
ROGER GLOVER AND IAN PAICE

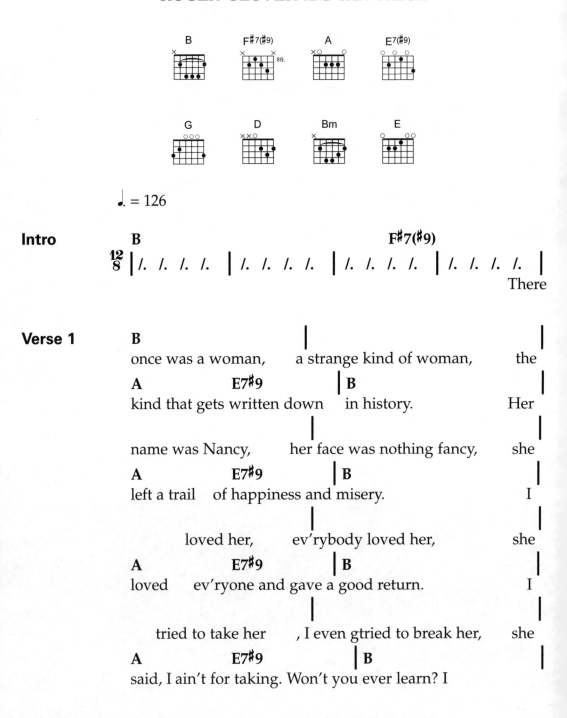

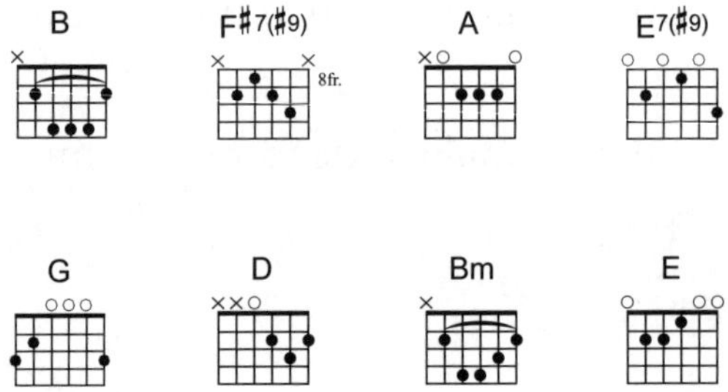

♩. = 126

Intro

B F♯7(♯9)
12/8 | /. /. /. /. | /. /. /. /. | /. /. /. /. | /. /. /. /. |
There

Verse 1

B | |
once was a woman, a strange kind of woman, the

A E7♯9 | B |
kind that gets written down in history. Her

| |
name was Nancy, her face was nothing fancy, she

A E7♯9 | B |
left a trail of happiness and misery. I

| |
loved her, ev'rybody loved her, she

A E7♯9 | B |
loved ev'ryone and gave a good return. I

| |
tried to take her , I even gtried to break her, she

A E7♯9 | B |
said, I ain't for taking. Won't you ever learn? I

Chorus 1

want you, I need you, | I gotta be near you, | I

A E7#9 | B |

spent my money as I took my turn. I

| A |

want you, I need you, | I gotta be near you, ooh

E7#9 | B |

got a strange kind of woman.

|

She

Verse 2

looked like a raver, | but I never could please her, | on

A E7#9 | B |

Wednesday mornings boy, you can't go far. I

| |

couldn't get her, but | things got the better she said, |

A E7#9 | B |

Sat'day nights from now on baby you're my star. I

Chorus 2

want you, I need you, | I gotta be near you, | I

A E7#9 | B |

spent my money as I took my turn. I

| A |

want you, I need you, | I gotta be near you, ooh

E7#9 | B |

got a strange kind of woman.

Bridge

♩. = 68

6/8 G | D | A | Bm |

Ooh, ooh,

G | D | A | Bm |

ooh, ooh.

♩. = 128

A | 12/8 E | |

Ooh, my soul, I love you.

Interlude

B A E7♯9 B
| /. /. /. /. | /. /. /. /. | /. /. /. /. | /. /. /. /. |
A E7♯9 B
| /. /. /. /. | /. /. /. /. | /. /. /. /. | /. /. /. /. |
A E7♯9 B
| /. /. /. /. | /. /. /. /. | /. /. /. /. | /. /. /. /. |
A E7♯9 B
| /. /. /. /. | /. /. /. /. | /. /. /. /. | /. /. /. /. |
I

Chorus 3

| |
want you, I need you, I gotta be near you, I
A E7♯9 | B |
spent my money as I took my turn. I
| A |
want you, I need you, I gotta be near you, ooh
E7♯9 | B |
got a strange kind of woman.
F7♯9 | B |
She

Verse 3

| |
finally said she loved me, I wed her in a hurry.
A E7♯9 | B |
No more callers and I glowed with pride. I'm
| |
dreaming, I feel like screaming, I
A E7♯9 | B |
won my woman just before she died. I

Chorus 4

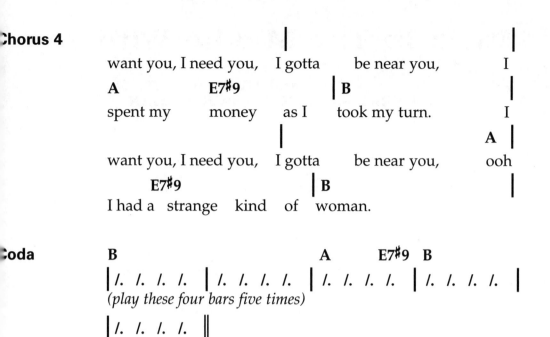

```
                                  |                          |
want you, I need you,   I gotta     be near you,          I
A               E7#9        | B                          |
spent my      money    as I    took my turn.              I
                               |                       A |
want you, I need you,   I gotta     be near you,        ooh
      E7#9                 | B                           |
I had a  strange  kind  of  woman.
```

Coda

```
B                              A        E7#9  B
| /. /. /. /.  | /. /. /. /.  | /. /. /. /.  | /. /. /. /.  |
```

(play these four bars five times)

```
| /. /. /. /.  ||
```

Stuck In The Middle With You

Words and Music by
GERRY RAFFERTY AND JOE EGAN

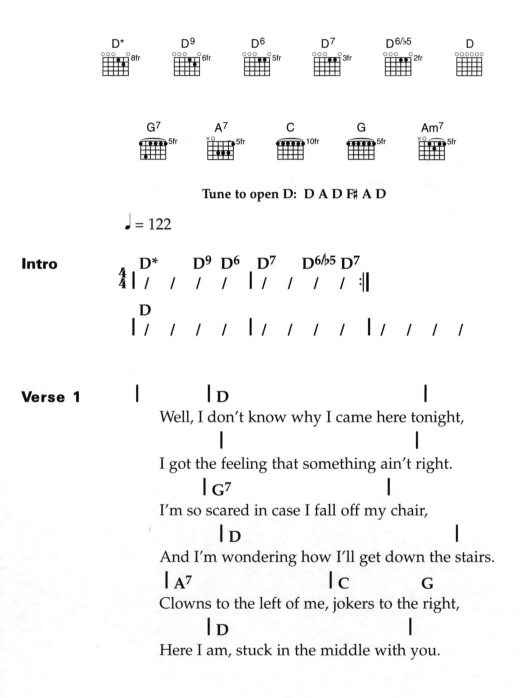

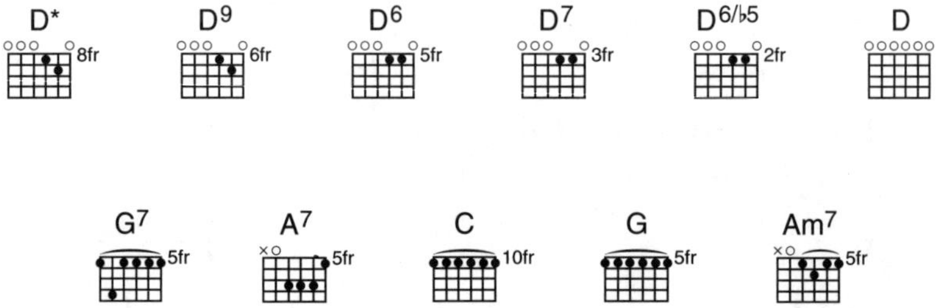

Tune to open D: D A D F♯ A D

♩ = 122

Intro

4/4 | D* / / D9 / D6 / | D7 / / D6/♭5 / D7 / :||

| D / / / / | / / / / | / / / / |

Verse 1

| | D |
Well, I don't know why I came here tonight,
| |
I got the feeling that something ain't right.
| G7 |
I'm so scared in case I fall off my chair,
| D |
And I'm wondering how I'll get down the stairs.
| A7 | C G
Clowns to the left of me, jokers to the right,
| D |
Here I am, stuck in the middle with you.

Verse 2

```
        | D                  |
Yes I'm    stuck in the middle with you,
          |                         |
And I'm wondering what it is I should do.
      | G7                          |
It's so hard to keep this smile from my face,
           | D                      |
Losing control, yeah, I'm all over the place.
| A7                   | C         G
Clowns to the left of me, jokers to the right,
       | D                      |
Here I am, stuck in the middle with you.
```

Bridge

```
             | G7
Well, you started off with nothing,
              |                          | D
And you're proud that you're a self-made man.
|           | G
And your friends they all come crawling,
  |                        | D   |   | Am7   |
Slap you on the back and say, 'Please,___ please.'___
```

Link

```
D
| / / / / | / / / / | / / / / | / / / /
```

Verse 3

| D |
Trying to make some sense of it all,
| |
But I can see it makes no sense at all.
| G7 |
Is it cool to go to sleep on the floor?
| D |
Yeah, I don't think that I can take anymore.
| A7 | C G
Clowns to the left of me, jokers to the right,
| D |
Here I am, stuck in the middle with you.

Instrumental

D
| / / / / | / / / / | / / / / | / / / /
G7 D
| / / / / | / / / / | / / / / | / / / /
A7 C G D
| / / / / | / / / / | / / / /

Bridge 2

| G7
Well, you started off with nothing,
| | D
And you're proud that you're a self-made man.
| | G
And your friends they all come crawling,
| | D | | Am7 |
Slap you on the back and say, 'Please,___ please.'___

Link 2

D
| / / / / | / / / / | / / / /

Verse 4

```
|       | D                      |
   Well, I don't know why I came here tonight,
              |                        |
   I got the feeling that something ain't right.
           | G7                      |
   I'm so scared in case I fall off my chair,
              | D                          |
   And I'm wondering how I'll get down the stairs.
   | A7                  | C          G
   Clowns to the left of me, jokers to the right,
          | D                      |
   Here I am, stuck in the middle with you.
```

Coda

```
          | D                       |
   Yes I'm    stuck in the middle with you,
|                         |
   Stuck in the middle with you,
          |                          |      |      ||
   Here I am,  stuck in the middle with you.    /  /
```

Summer In The City

Words and Music by
STEVE BOON, JOHN SEBASTIAN AND MARK SEBASTIAN

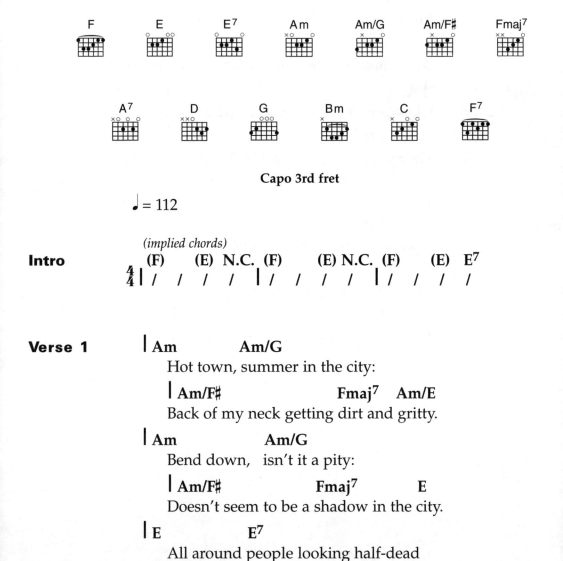

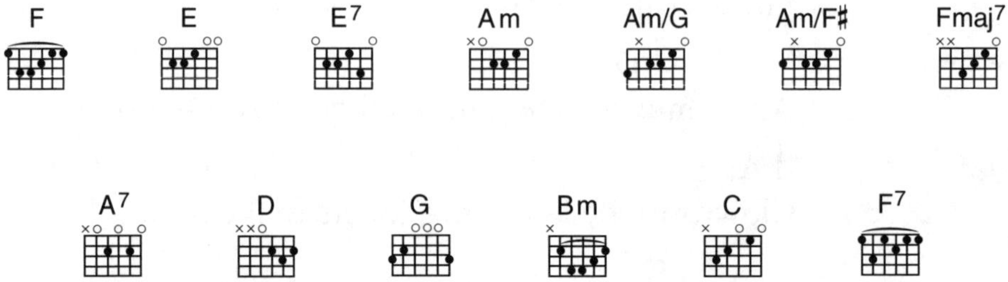

Capo 3rd fret

♩ = 112

(implied chords)

Intro
(F) (E) N.C. (F) (E) N.C. (F) (E) E7
4/4 | / / / / | / / / / | / / / /

Verse 1
| **Am** **Am/G**
Hot town, summer in the city:
| **Am/F♯** **Fmaj7** **Am/E**
Back of my neck getting dirt and gritty.
| **Am** **Am/G**
Bend down, isn't it a pity:
| **Am/F♯** **Fmaj7** **E**
Doesn't seem to be a shadow in the city.
| **E** **E7**
All around people looking half-dead
2/4 | **Am** 4/4 | **A7**
Walking on the sidewalk hotter than a match-head.

Chorus

| D G
But at night it's a different world,
| D | G
Go out and find a girl.
| D G
Come on, come on, and dance all night,
| D G
Despite the heat it'll be alright.
| Bm E
And babe, don't you know it's a pity
| Bm E
The days can't be like the nights
| Bm E
In the summer in the city,
| Bm E
In the summer in the city,

Verse 2

| Am Am/G
Cool town, even in the city
| Am/F♯ Fmaj7 E
Dressed so fine and looking so pretty.
| Am Am/G
Cool cat looking for a kitty
| Am/F♯ | Fmaj7 E
Gonna look in every corner of the city.
| E7
Till I'm wheezing like a bus stop
| Am | A7
Running up the stairs gonna meet you on the rooftop.

Chorus 2

| D | G
But at night it's a different world,
| D | G
Go out and find a girl.
| D G
Come on, come on, and dance all night,
| D G
Despite the heat it'll be alright.
| Bm E
And babe, don't you know it's a pity
| Bm E
The days can't be like the nights
| Bm E
In the summer in the city,
| Bm E
In the summer in the city,

Instrumental

C F7 N.C.
‖: / / / / | / / / / :‖ *(sound effects)*

Link

Am Am/G Am/F♯ Fmaj7 E
‖: / / / / | / / / / :‖

Verse 1

| Am Am/G
Hot town, summer in the city:
| Am/F♯ Fmaj7 Am/E
Back of my neck getting dirt and gritty.
| Am Am/G
Bend down, isn't it a pity:
| Am/F♯ Fmaj7 E
Doesn't seem to be a shadow in the city.
| E E7
All around people looking half-dead
2/4 | Am 4/4 | A7
Walking on the sidewalk hotter than a match-head.

Chorus 3

| D | G
But at night it's a different world,
| D | G
Go out and find a girl.
| D G
Come on, come on, and dance all night,
| D G
Despite the heat it'll be alright.
| Bm E
And babe, don't you know it's a pity
| Bm E
The days can't be like the nights
| Bm E
In the summer in the city,
| Bm E
In the summer in the city,

Link 2

C F7 N.C.
||: / / / / | / / / / :|| / / / / |

Am Am/G Am/F♯ Fmaj7 E
||: / / / / | / / / / :||

Coda

Am Am/G Am/F♯ Fmaj7 E
||: / / / / | / / / / :||

E E7 Am A7
| / / / / 2/4| / / 4/4| / / / /

D G D G D
| / / / / | / / / / | ||

(fade)

Sunny Afternoon

Words and Music by
RAYMOND DAVIES

Dm A C^7 F D^7 G^7

♩ = 120

Intro

4/4 | Dm / / / / | / / / / | A / / / / | / / / / |

| Dm / / / / | / / / / | A / / / / |

Verse 1

| | Dm | C^7
The tax man's taken all my dough,
| F | C^7
And left me in my stately home,
| A | | Dm
Lazing on a sunny afternoon.
| C^7
And I can't sail my yacht,
| F | C^7
He's taken everything I've got,
| A | | Dm |
All I've got's this sunny afternoon. / / / /

Bridge

| D^7 | | G^7
Save me, save me, save me from this squeeze.
| | C^7 | | F
I got a big fat mama trying to break me.

Chorus

| A^7 | Dm | G^7 | Dm | G^7 C^7

And I love to live so pleasantly, live this life of luxury,

| F | A^7 | Dm |

Lazing on a sunny afternoon. ______

| A

In the summertime,

| | Dm | | A

In the summertime, in the summertime.

Verse 2

| Dm | C^7

My girlfriend's run off with my car,

| F | C^7

And gone back to her Ma and Pa,

| A | | Dm

Telling tales of drunkenness and cruelty.

| C^7

Now I'm sitting here,

| F | C^7

Sipping at my ice-cold beer,

| A | | Dm |

Lazing on a sunny afternoon. / / / /

Bridge 2

| D^7 | | G^7

Help me, help me, help me sail away,

| | C^7 | | F

Well, give me two good reasons why I ought to stay.

Chorus 2

| A⁷ | Dm | G⁷ | Dm | G⁷ C⁷
And I love to live so pleasantly, live this life of luxury,
| F | A⁷ | Dm |
Lazing on a sunny afternoon. ______
| A
In the summertime,
| | Dm | | A
In the summertime, in the summertime.

Bridge 3

| | D⁷ | | G⁷
Ah, save me, save me, save me from this squeeze.
| | C⁷ | | F
I got a big fat mama trying to break me.

Chorus 3

| A⁷ | Dm | G⁷ | Dm | G⁷ C⁷
And I love to live so pleasantly, live this life of luxury,
| F | A⁷ | Dm
Lazing on a sunny afternoon.
| | A
In the summertime,
||: | Dm | | A :|| A |
In the summertime, in the summertime. / / / /

Coda

||: Dm :|| *to fade*
/ / / /

Turn Turn Turn

Words and Music by
PETE SEEGER

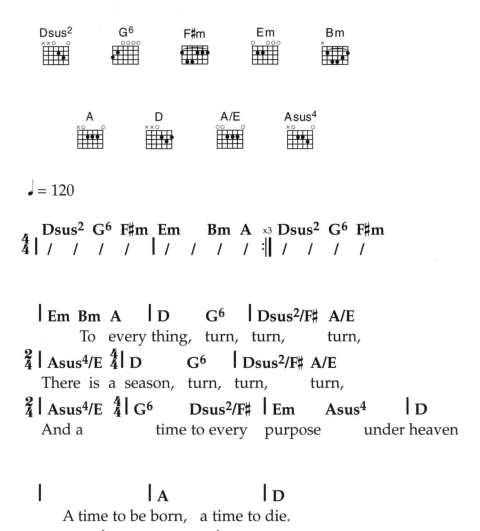

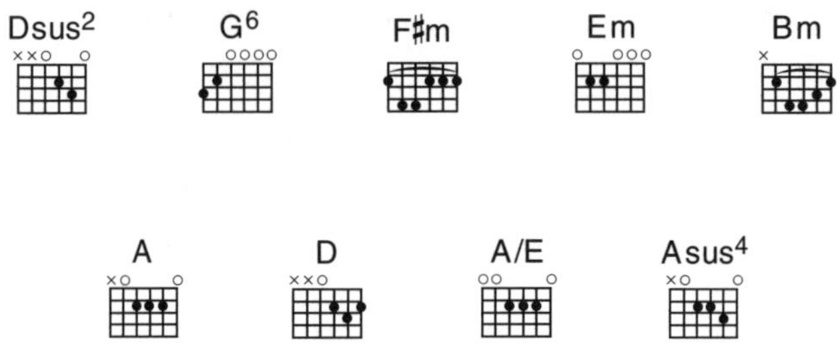

♩ = 120

ntro

4/4 | Dsus^{2} G^{6} F♯m Em | Bm A :‖ x3 Dsus^{2} G^{6} F♯m
| / / / / | / / / / :‖ / / / /

horus

| Em Bm A | D G^{6} | Dsus^{2}/F♯ A/E
To every thing, turn, turn, turn,

2/4 | Asus^{4}/E 4/4 | D G^{6} | Dsus^{2}/F♯ A/E
There is a season, turn, turn, turn,

2/4 | Asus^{4}/E 4/4 | G^{6} Dsus^{2}/F♯ | Em Asus^{4} | D
And a time to every purpose under heaven

erse 1

| | A | D
A time to be born, a time to die.

| A | D
A time to plant, a time to reap.

| A | D
A time to kill, a time to heal.

| G^{6} Dsus^{2}/F♯ | Em Asus^{4} | D
A time to laugh, a time ______ to weep.

Chorus 2

| N.C. | D G^6 | Dsus^2/F♯ A/E
To every thing, turn, turn, turn,
$\frac{2}{4}$| Asus^4/E $\frac{4}{4}$| D G^6 | Dsus^2/F♯ A/E
There is a season, turn, turn, turn,
$\frac{2}{4}$| Asus^4/E $\frac{4}{4}$| G^6 Dsus^2/F♯ | Em Asus^4 | D
And a time to every purpose under heaven

Verse 2

| A | D
A time to build up, a time to break down.
| A | D
A time to dance, a time to mourn.
| A | D
A time to cast away stones.
| G^6 Dsus^2/F♯ | Em Asus^4 | D
A time to ga - ther stones ___ together.

Chorus 3

| N.C. | D G^6 | Dsus^2/F♯ A/E
To every thing, turn, turn, turn,
$\frac{2}{4}$| Asus^4/E $\frac{4}{4}$| D G^6 | Dsus^2/F♯ A/E
There is a season, turn, turn, turn,
$\frac{2}{4}$| Asus^4/E $\frac{4}{4}$| G^6 Dsus^2/F♯ | Em Asus^4 | D
And a time to every purpose under heaven

Verse 3

| A | D
A time of love, a time of hate.
| A | D
A time of war, a time of peace.
| A | D
A time you may embrace.
| G^6 Dsus^2/F♯ | Em Asus^4 | D
A time to re - frain from _____ embracing.

Guitar solo

N.C. | Dsus² G⁶ | Dsus²/F♯ A/E | Asus⁴
| / / / / |: 4/4 / / / / | / / / / 2/4 | / / :||

G⁶ Dsus²/F♯ | Em Asus⁴ | D
4/4 | / / / / | / / / / | / / / / | / / / / |

A | D | x3 G⁶ Dsus²/F♯ | Em Asus⁴
|: / / / / | / / / / :|| / / / / | / / / / |

D
| / / / /

Chorus 4

| N.C. | D G⁶ | Dsus²/F♯ A/E
To every thing, turn, turn, turn,

2/4 | Asus⁴/E 4/4 | D G⁶ | Dsus²/F♯ A/E
There is a season, turn, turn, turn,

2/4 | Asus⁴/E 4/4 | G⁶ Dsus²/F♯ | Em Asus⁴ | D |
And a time to every purpose under heaven

Verse 4

| A | D
A time to gain, a time to lose.

| A | D
A time to rend, a time to sew.

| A | D
A time for love, a time for hate.

| G⁶ Dsus²/F♯ | Em Asus⁴ | D | N.C.
A time for peace, ____ I swear it's not too late. / / / /

Coda

Dsus² G⁶ | F♯m Em Bm A
|: / / / / | / / / / :|| *repeat to fade*

Suzanne

Words and Music by
LEONARD COHEN

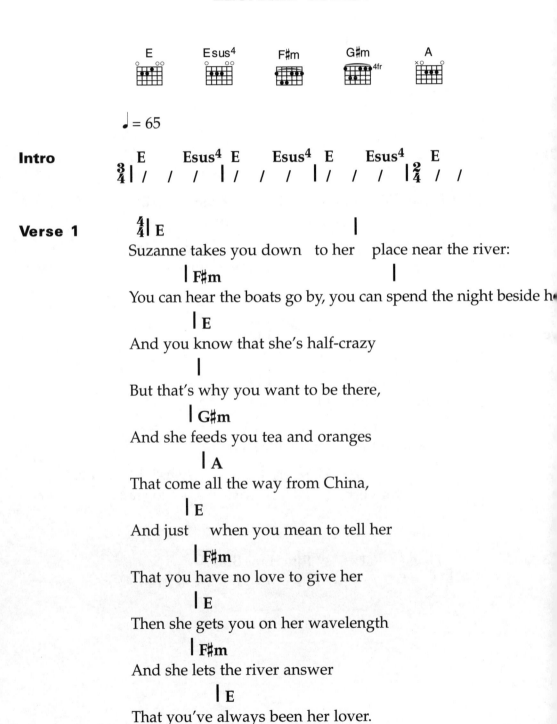

♩ = 65

Intro

```
      E        Esus4  E        Esus4  E         Esus4    E
3/4 | /  /  /  | /  /  /  | /  /  /  | 2/4 /  /
```

Verse 1

```
4/4 | E                               |
Suzanne takes you down   to her   place near the river:
          | F♯m                                  |
You can hear the boats go by, you can spend the night beside h
           | E
And you know that she's half-crazy
           |
But that's why you want to be there,
           | G♯m
And she feeds you tea and oranges
             | A
That come all the way from China,
          | E
And just    when you mean to tell her
           | F♯m
That you have no love to give her
           | E
Then she gets you on her wavelength
          | F♯m
And she lets the river answer
              | E
That you've always been her lover.
```

Chorus

$\frac{3}{4}$| E Esus4 E $\frac{4}{4}$| G♯m
And you want to travel with her,
| A
And you want to travel blind,
| E
And you know that she will trust you
| F♯m
For you've touched her perfect body
$\frac{3}{4}$| E Esus^{4} | E Esus^{4} $\frac{2}{4}$| E
With your mind. / / /

Verse 2

$\frac{4}{4}$| E |
And Jesus was a sailor when he walked upon the water.
| F♯m
And he spent a long time watching
|
From his lonely wooden tower,
| E
And when he knew for certain
|
Only drowning men could see him
| G♯m
He said, 'All men will be sailors then
| A
Until the sea shall free them.'
| E | F♯m
But he himself was broken long before the sky would open;
| E
Forsaken, almost human,
| F♯m $\frac{3}{4}$| E Esus^{4} | E Esus^{4}
He sank beneath your wisdom like a stone. / / /

Chorus 2

$\frac{2}{4}$| E $\frac{4}{4}$| G♯m
And you want to travel with him,
| A
And you want to travel blind,
| E
And you think maybe you'll trust him
| F♯m
For he's touched your perfect body
$\frac{3}{4}$| E Esus^4 | E Esus^4 $\frac{2}{4}$| E
With his mind. / / /

Verse 3

$\frac{4}{4}$| E |
Now Suzanne takes your hand and she leads you to the rive
| F♯m |
She is wearing rags and feathers from Salvation Army counte
| E
And the sun pours down like honey
|
On our lady of the harbour.
| G♯m
And she shows you where to look
| A
Among the garbage and the flowers:
| E
There are heroes in the seaweed,
| F♯m
There are children in the morning
| E
They are leaning out for love,
| F♯m
And they will lean that way forever
| E
While Suzanne holds the mirror.

:horus 3 3/4 | E Esus4 E 4/4 | G♯m

And you want to travel with her

| A

And you want to travel blind,

| E

And you know that you can trust her

| F♯m

For she's touched your perfect body

3/4 | E Esus4

With her mind.

oda

E Esus4 E

| / / / | ||

Sweet Home Alabama

Words and Music by
RONALD VAN ZANT, GARY ROSSINGTON
AND EDWARD KING

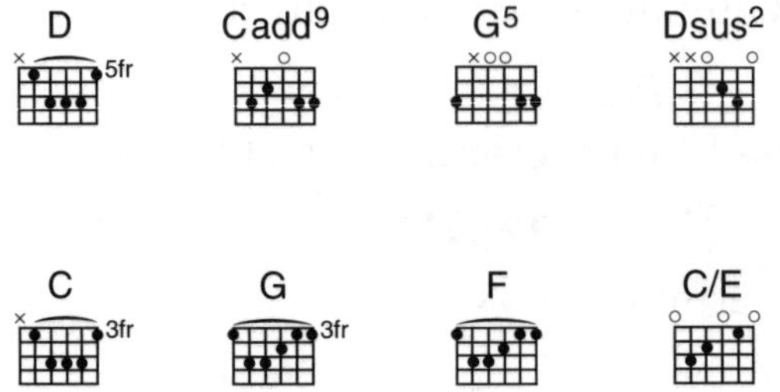

♩ = 98

Intro

$\frac{4}{4}$ | D Cadd^9 G^5 | / / / / | / / / / :||: Dsus^2 Cadd^9 G^5 / / / / | / / / / :||

Verse 1

| Dsus^2 Cadd^9 | G^5
Big wheels keep on turning,
| Dsus^2 Cadd^9 | G^5
Carry me home to see my kin;
| Dsus^2 Cadd^9 | G^5
Singing songs about the south-land
| Dsus^2 Cadd^9 | G^5
I miss Alabamy once again

And I think it's a sin, yes.

Link

||: D Cadd^9 G^5 / / / / | / / / / :||

Verse 2

| Dsus^2 Cadd^9 | G^5
Well, I heard Mister Young sing about her;
| Dsus^2 Cadd^9 | G^5
Well, I heard 'ole Neil put her down;
| Dsus^2 Cadd^9 | G^5
Well, I hope Neil Young will remember
| Dsus^2 Cadd^9 | G^5
A southern man don't need him around anyhow.

Chorus

| D C | G C
Sweet home Alabama
| D C | G C
Where the skies are so blue.
| D C | G C
Sweet home Alabama
| D C | G F C/E
Lord, I'm coming home to you.

Guitar solo

D Cadd^9 G^5
||: / / / / | / / / / :||

Verse 2

| Dsus^2 Cadd^9 | G^5 F C | Dsus^2
In Birmingham they love the Gov'nor, ooh-ooh-ooh.
Cadd^9 | G^5
Now we all did what we could do.
| Dsus^2 Cadd^9 | G^5
Now Watergate does not bother me.
| Dsus^2 Cadd^9 | G^5
Does your conscience bother you?

Tell the truth.

Chorus 2

| D C | G C
Sweet home Alabama
| D C | G C
Where the skies are so blue.
| D C | G C
Sweet home Alabama
| D C | G
Lord, I'm coming home to you – here I come, Alabama.

Guitar solo 2

D C G x8
||: / / / / | / / / / :||

Link

D Cadd^9 G^5 D Cadd^9 G^5
| / / / / | / / / / | / / / / | / / / /

Verse 3

| Dsus^2 Cadd^9 | G^5
Now Muscle Shoals has got the Swampers
| Dsus^2 Cadd^9 | G^5
And they've been known to pick a song or two.
| Dsus^2 Cadd^9 | G^5
Lord, they get me off so much,
| Dsus^2 Cadd^9 | G^5
They pick me up when I'm feeling blue.

Now how 'bout you?

Chorus 3 | D C | G C
Sweet home Alabama
| D C | G C
Where the skies are so blue.
| D C | G C
Sweet home Alabama
| D C | G F C/E
Lord, I'm coming home to you.

(vocal ad libs)
Chorus 4 | D C | G C
Sweet home Alabama
| D C | G C
Where the skies are so blue.
| D C | G C
Sweet home Alabama
| D C | G
Lord, I'm coming home to you.

Coda D C G
Piano solo ||: / / / / | / / / / :|| *to fade*

Tempted

Words and Music by
GLENN TILBROOK AND CHRISTOPHER DIFFORD

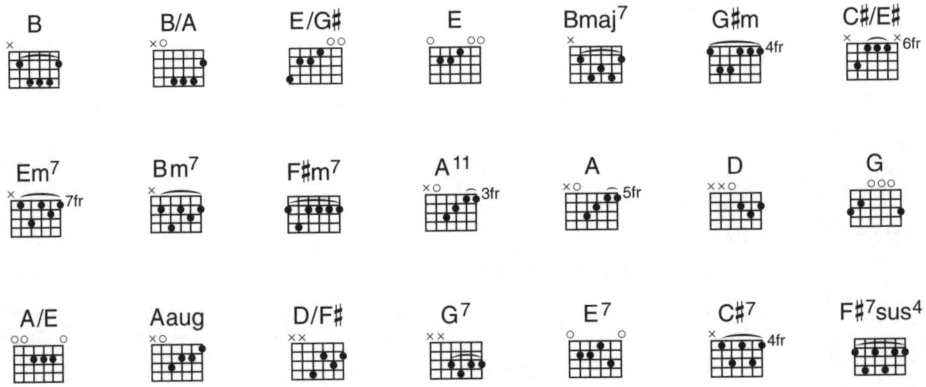

♩ = 91

Intro

```
    B       B/A      E/G♯  E        B      B/A
4/4 | /  /  /  /  | /  /  /  /  | /  /  /  /
```

Verse 1

```
| E/G♯  E            | B                  Bmaj7
            I bought a toothbrush, some toothpaste,
 | G♯m
A flannel for my face,
 | C♯/E♯                       | Em7
Pyjamas,    a hairbrush,    new shoes and a case.
 | Bm7                       | F♯m7              | A11   A
I said to my reflection:  let's get out of this place. _____
```

Verse 2

```
D       | E                             | G
Past the church and the steeple,  the laundry on the hill;
| B                            | A/E          Aaug
Billboards and the buildings – memories of it still
     | D/F♯     | E
Keep calling and calling
      | D/F♯  G7           | E     E7
But forget it all – I know I will.
```

Chorus

```
| B             B/A     | E/G♯    E
Tempted by the fruit of another,
| B                        | E/G♯    E
Tempted but the truth is discovered.
           | C♯7
What's been going on?
         | F♯7sus4                    | B      B/A
Now that you have gone  there's no other.
| E/G♯          E         | B      B/A
Tempted by the fruit of another,
| E/G♯           E        | C♯m7     | Em7      |
Tempted but the truth is discovered.    /  /  /  /
```

Verse 3

```
|           | B           Bmaj7
    I'm at the car park, the airport,
    | G♯m
The baggage carousel.
    | C♯/E♯                          | Em7
The people keep on crowding,    I'm wishing I was well.
| Bm7                        | F♯m7          | A11   A
I said it's no occasion  it's no story I could tell.
```

Verse 4

| E | G
At my bedside: empty pocket, a foot without a sock.

| B | A/E Aaug
Your body gets much closer, I fumble for the clock

| D/F♯ | E
Alarmed by the seduction,

| D/F♯ G^7 | E E^7
I wish that it would stop.

Chorus 2

| B B/A | E/G♯ E
Tempted by the fruit of another,

| B | E/G♯ E
Tempted but the truth is discovered.

| C♯^{7}
What's been going on?

| F♯^{7}sus^4 | B B/A
Now that you have gone there's no other.

| E/G♯ E | B B/A
Tempted by the fruit of another,

| E/G♯ E | C♯m^7 | Em^7 |
Tempted but the truth is discovered. / / / /

Verse 5

| | B Bmaj^7
I bought a novel, some perfume,

| G♯m
A fortune all for you,

| C♯/E♯ | Em^7
But it's not my conscience that hates to be untrue.

| Bm^7 | F♯m^7 | A^{11} A I
I asked of my reflection: tell me what is there to do? _____

Chorus 3

| B B/A | E/G♯ E
Tempted by the fruit of another,
| B | E/G♯ E
Tempted but the truth is discovered.
| C♯7
What's been going on?
| F♯7sus4 | B B/A
Now that you have gone there's no other.
| E/G♯ E | B B/A
Tempted by the fruit of another,
| E/G♯ E | C♯m7 | |
Tempted but the truth is discovered. / / / /

Coda

||: B B/A | E/G♯ E
Tempted by the fruit of another,
| B B/A | E/G♯ E :|| *repeat to fade*
Tempted but the truth is discovered.

Tequila Sunrise

Words and Music by
DON HENLEY AND GLENN FREY

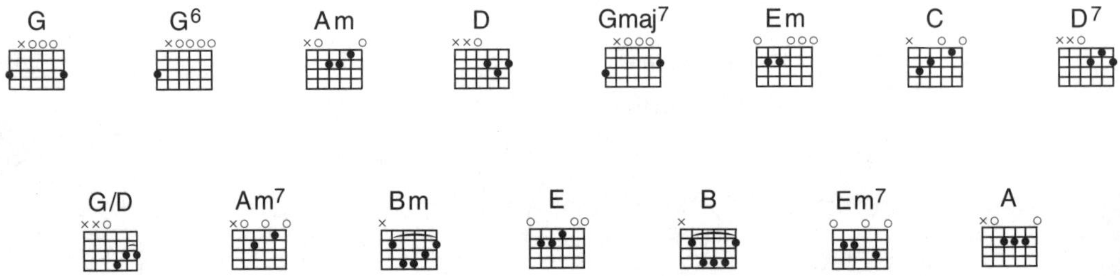

♩ = 110

Intro

G G^6 x4 | Am | D | G G^6 | Gmaj^7 G^6
$\frac{4}{4}$ ||: / / / / :|| / / / / | / / / / | / / / / | / / / /

Verse 1

| G |
It's another tequila sunrise
| D | | Am
Staring slowly 'cross the sky,
| D^7 | G G^6 | Gmaj^7 G^6
Said goodbye.____
| G |
He was just a hired hand
| D | | Am
Working on the dreams he planned to try,
| D^7 | G G^6 | Gmaj^7 G^6
The days go by.

Bridge

| Em | C
Every night when the sun goes down,
| Em | C
Just another lonely boy in town,
| Em | Am | D7 | G/D
And she's out running 'round.__________

Verse 2

| G |
She wasn't just another woman

| D | | Am
And I couldn't keep from coming on,

| D^7 | G G^6 | Gmaj^7 G^6
It's been so long.

| G |
Oh and it's a hollow feeling

| D | | Am
When it comes down to dealing friends

| D^7 | G G^6 | Gmaj^7 G^6
It never ends.

Guitar solo

G G^6 G G^6 D
| / / / / | / / / / | / / / / | / / / /

Am^7 D G
| / / / / | / / / / | / / / / | / / / /

Bridge 2

| Am | D
Take another shot of courage,

| Bm | E | Am^7 | B
Wonder why the right words never come,_______

| | Em^7 | A
You just get numb.

Verse 3

| G |
It's another tequila sunrise,

| D | | Am
This old world still looks the same,

| D^7 | G G^6 | Gmaj^7 G^6
Another frame.

Coda

G Gmaj^7 G^6 G G^6
||: / / / / | / / / / :|| / ||

Venus In Furs

Words and Music by
LOU REED

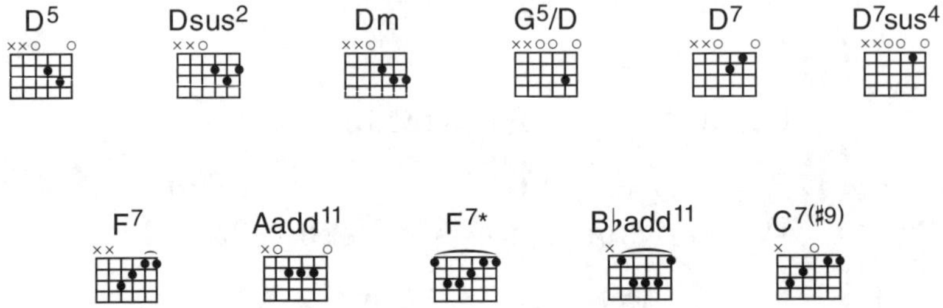

Tune down a semitone,
Tune 1st string down another tone
(E♭ A♭ D♭ G♭ B♭ D♭)

♩ = 72

```
Intro      D5    Dsus2  Dm    Dsus2
       4/4 | / / / / | / / / / :||

Verse 1    | D5        G5/D | D7                D7sus4
             Shiny, shiny,  shiny boots of leather,
           | D5           G5/D          | F7          Aadd11
             Whiplash        girl-child in the dark.
           | D5         G5/D         | D7              D7sus4
             Comes in bells, your servant, don't forsake him.
           | D5        G5/D              | D7        D5
             Strike, dear mistress, and cure his heart.

Link       D5    Dsus2  Dm    Dsus2
          ||: / / / / | / / / / :||
```

Verse 2

| D5 G5/D | D7 D7sus4
Downy sins of streetlight fancies
| D5 G5/D | F7 Aadd11
Chase the costumes she shall wear.
| D5 G5/D | D7 D7sus4
Ermine furs adorn the imperious.
| D5 G5/D | D7 D5
Severin, Severin awaits you there.

Link 2

D5 Dsus2 Dm Dsus2
||: / / / / | / / / / :||

Bridge

| F7* B♭add11 | C7(♯9) F7*
I am tired, I am weary;
| | B♭add11 C7(♯9) | F7*
I could sleep for a thousand years. ____
| | B♭add11 C7(♯9) 2/4 | F7*
A thousand dreams that would awake me,
| D5 | D7 D5
Different colors made of tears.

Link 3

D5 Dsus2 Dm Dsus2
||: / / / / | / / / / :||

Verse 3

| D5 G5/D | D7 D7sus4
Kiss the boot of shiny, shiny leather,
| D5 G5/D | F7 Aadd11
Shiny leather in the dark.
| D5 G5/D | D7 D7sus4
Tongue of thongs, the belt that does await you.
| D5 G5/D | D7 D5
Strike, dear mistress, and cure his heart.

Link 4

D^5 Dsus^2 Dm Dsus^2

‖: / / / / | / / / / :‖

Verse 4

| D^5 G^5/D | D^7 D^{7}sus^4

Severin, Severin, speak so slightly,

| D^5 G^5/D | F^7 Aadd^{11}

Severin, down on your bended knee:

| D^5 G^5/D | D^7 D^{7}sus^4

Taste the whip, in love not given lightly.

| D^5 G^5/D | D^7 D^5

Taste the whip, now plead for me.

Link 5

D^5 Dsus^2 Dm Dsus^2

‖: / / / / | / / / / :‖

Bridge

| F^{7*} B♭add^{11} | C$^{7(\sharp 9)}$ F^{7*}

I am tired, I am weary;

| | B♭add^{11} C$^{7(\sharp 9)}$ | F^{7*}

I could sleep for a thousand years. ____

| | B♭add^{11} C$^{7(\sharp 9)}$ | F^{7*}

A thousand dreams that would awake me,

| D^5 | D^7 D^5

Different colors made of tears.

Link 6

D^5 Dsus^2 Dm Dsus^2

‖: / / / / | / / / / :‖

Verse 5

| D^5 G^5/D | D^7 D^7sus^4
Shiny, shiny, shiny boots of leather,
| D^5 G^5/D | F^7 $Aadd^{11}$
Whiplash girl-child in the dark.
| D^5 G^5/D | D^7
Severin, your servant comes in bells,
D^7sus^4
Please don't forsake him.
| D^5 G^5/D | D^7 D^5
Strike, dear mistress, and cure his heart.

Coda

D^5 $Dsus^2$ Dm $Dsus^2$ x4 D^5
||: / / / / | / / / / :|| ||

We Gotta Get Out Of This Place

Words and Music by
BARRY MANN AND CYNTHIA WEIL

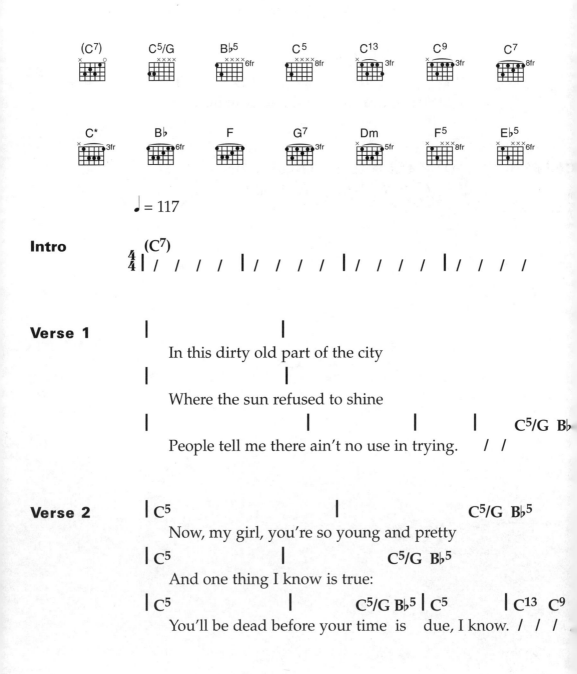

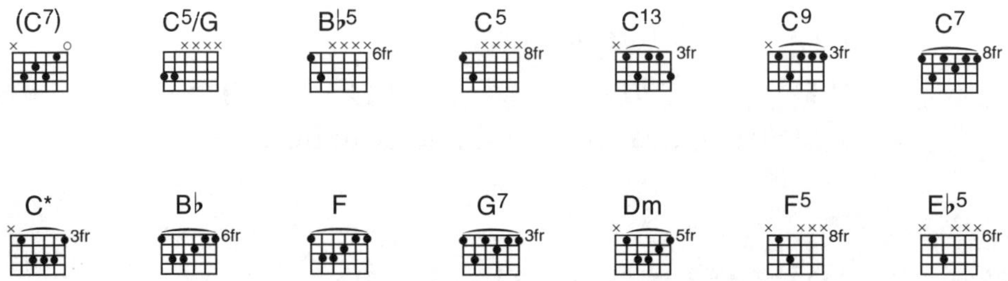

♩ = 117

Intro

(C7)
4/4 | / / / / | / / / / | / / / / | / / / /

Verse 1

| |
In this dirty old part of the city
| |
Where the sun refused to shine
| | | | C5/G B♭
People tell me there ain't no use in trying. / /

Verse 2

| C5 | C5/G B♭5
Now, my girl, you're so young and pretty
| C5 | C5/G B♭5
And one thing I know is true:
| C5 | C5/G B♭5 | C5 | C13 C9
You'll be dead before your time is due, I know. / / /

```
| C7                         |         C*    B♭
    Watched my  Daddy in bed  a-dying,
| C7                         |          C*    B♭
    Watched his hair  been turning grey.
| C7                          |            C*  B♭ | C7
    He's been working and slaving his life a - way.
             |          C*  B♭
    Oh yes I know it.
```

Prechorus

```
| C7      |           C*    B♭
(Yeah!)      He's been working so
    | C7     | C*          B♭       | C7
{ hard.        I've been working too,
{ (Yeah!)
          |         C*    B♭
{ baby.        Every night and
{ (Yeah!)
| C7      |
{ day.
{ (Yeah, yeah, yeah, yeah!)
```

Chorus

```
| F               | B♭        C*
    We gotta get out of this place
| F                          | G7  C*
    If it's the last thing we ever do.
| F               | B♭        C*
    We gotta get out of this place.
| Dm                       | N.C.
    Girl, there's a better life for me and you.
```

Link

```
 F5      E♭5       B♭5     C5
||: /  /  /  /  | /  /  /  / :||
```

Verse 2

| C⁵ | C⁵/G B♭⁵
Now, my girl, you're so young and pretty
| C⁵ | C⁵/G B♭⁵
And one thing I know is true:
| C⁵ | C⁵/G B♭⁵ | C⁵ | C¹³ C⁹
You'll be dead before your time is due, I know. / / / /
| C⁷ | C* B♭
Watched my Daddy in bed a-dying,
| C⁷ | C* B♭
Watched his hair been turning grey.
| C⁷ | C* B♭ | C⁷
He's been working and slaving his life a - way.
| C* B♭
Oh yes I know it.

Prechorus 2

| C⁷ | C* B♭
(Yeah!) I've been working too, ba - by.
| C⁷ | C*
(Yeah!) Every day, baby.
B♭ | C⁷ | C* B♭
Whoa!________________________
| C⁷ |
(Yeah, yeah, yeah, yeah!).

Chorus 2

| F | B♭ C*
We gotta get out of this place
| F | G⁷ C*
If it's the last thing we ever do.
| F | B♭ C*
We gotta get out of this place.
| Dm | N.C. | F⁵ E♭⁵
Girl, there's a better life for me and you. / / / /
B♭⁵ C⁵ | F⁵ E♭⁵ | B♭⁵ C⁵
Somewhere baby, somehow I know it.

Chorus 3

```
| F                 | B♭        C*
    We gotta get out of this place
| F                         | G7  C*
    If it's the last thing we ever do.
| F                 | B♭        C*
    We gotta get out of this place.
| Dm                          | N.C.                    | F5   E♭5
    Girl, there's a better life for me and you.  / / / /
  | B♭5     C5
Believe me, baby.
| F5  E♭5              | B♭5   C5
    I know it,  baby.
                     | F5   E♭5 | B♭5  C5  ||
You know it too.   / / / /  / / / /
```

Whiter Shade Of Pale

Words and Music by
KEITH REID AND GARY BROOKER

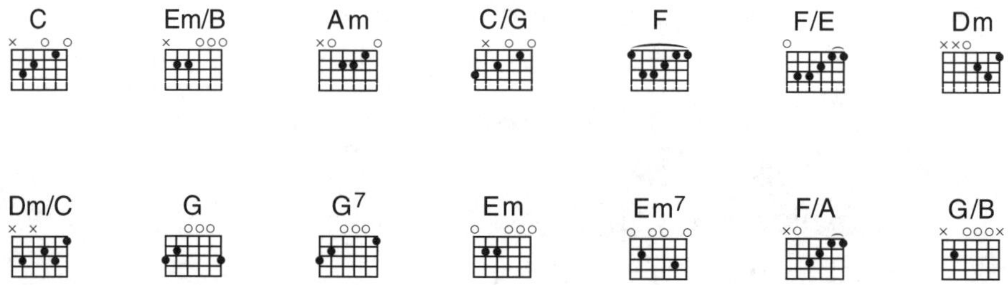

♩ = 72

Intro

4/4 | C Em/B Am C/G | F F/E Dm Dm/C |
| / / / / | / / / / | / / / / | / / / / |

| G G7 Em Em7 | C F G F/A G/B |
| / / / / | / / / / | / / / / | / / / / |

Verse 1

| C Em/B | Am C/G
We skipped the light fandango
| F F/E | Dm Dm/C
Turned cartwheels across the floor,
| G G7 | Em Em7
I was feeling kind of sea-sick
| C Em/B | Am C/G
But the crowd called out for more.
| F F/E | Dm Dm/C
The room was humming harder
| G G7 | Em Em7
As the ceiling flew away.
| C Em/B | Am C/G
When we called out for another drink
| F F/E | Dm
The waiter brought a tray.

Chorus 1

G | C Em/B | Am C/G
And so it was,______ that later,______

| F F/E | Dm Dm/C
As the miller told his tale,

| G G^7 | Em Em^7
That her face, at first just ghostly,

| C F | C G^7
Turned a whiter shade of pale.

Instrumental

| C / Em/B / Am / C/G / | F / F/E / Dm / Dm/C / |

| G / G^7 / Em / Em^7 / | C / F / G / F/A G/B / |

Verse 2

| C Em/B | Am C/G
She said, 'There is no reason,

| F F/E | Dm Dm/C
And the truth is plain to see.'___

| G G^7 | Em Em^7
But I wandered through my playing cards

| C Em/B | Am C/G
And would not let her be

| F F/E | Dm Dm/C
One of sixteen vestal virgins

| G G^7 | Em Em^7
Who were leaving for the coast,

| C Em/B | Am C/G
And although my eyes were open

| F F/E | Dm
They might just as well have been closed.

```
Chorus 2       G           | C   Em/B       | Am   C/G
               And so it was,______ that later,______
               | F        F/E              | Dm   Dm/C
                   As the miller told his tale,
               | G      G7                | Em         Em7
                   That her face, at first just ghostly,
                      | C        F           | C    G7
               Turned a     whiter     shade of pale.


Instrumental    C     Em/B     Am    C/G       F      F/E       Dm   Dm/C
               | /  /  /  /  | /  /  /  /  | /  /  /  /  | /  /  /  /
                G     G7       Em    Em7       C      F
               | /  /  /  /  | /  /  /  /  | /  /  /  /


Chorus 3       G                  | C   Em/B      | Am      C/G  | (fade)
                   And so it was,______ that later,____
```

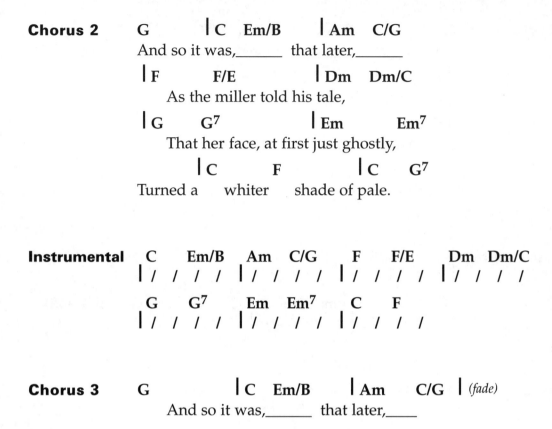

You're My Best Friend

Words and Music by
JOHN DEACON

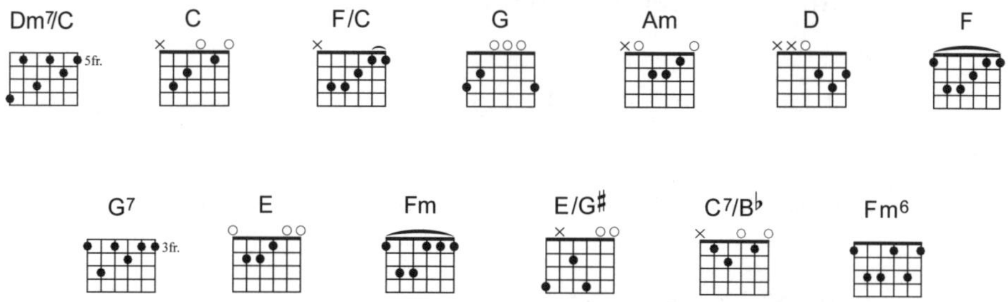

♩ = 116

Intro

C | | Dm7/C | C
4/4 | / / / / | / / / / | / / / / | / / / / |

Verse 1

Dm7/C | C |
Ooh, you make me live. What-

F/C | C |
ever this world can give to me. It's

Dm7/C | C |
you, you're all I see.

Dm7/C | C |
Ooh, you make me live now, honey,

Dm7/C | C G |
Ooh, you make me live.

Am D | F |
Ooh, you're the best friend that I

G7/C | C G |
ever had. I've been with you such a

Am D | F |
long time, you're my sunshine and I want

G | E Am | 2/4 G | 4/4 F |
you to know that my feelings are true, I really love you.

Chorus 1

```
Fm                 | C                     |
Oh, you're my best friend.
                   | Dm7/C                 |
                     Ooh, you make me live.
C      E/G#      | Am  C7/Bb      |
Ooh,   I've been   wandering round,
F                          | Fm6                   |
But I still come back to you,                    In
G            E/G#   | Am       D     | G
rain or shine you've stood by me, girl, I'm happy at home,
             | C                  |                  |
you're my best friend.
```

Verse 2

```
Dm7/C               | C                      |
Ooh, you make me live.                   When-
F/C              | C             |
ever this world is cruel to me, I got
Dm7/C              | C               |
you to help me forgive.
Dm7/C            | C              |
Ooh, you make me live now, honey,
Dm7/C               | C         G      |
Ooh, you make me live.
Am             D   | F             |
Ooh, you're the first one. When things
        G7     | C        G        |
turn out bad. You know I'll never be
Am               D | F              |
lonely. You're my only one and I love
    G         | E     Am    |
the things, I really love the
2/4 G        | 4/4  F         |
things that      you do.
```

Chorus 2 *(as Chorus 1)*

Coda

Fm6 | **C** |
Ooh,
Fm6 | **C** |
Ooh, you're my best friend
Dm7/C | **C** |
Ooh, you make me live.
Dm7/C |
Ooh, you're my best friend.
G C **G C** **G C**
| / / / / | / / / / | / / / / | / / / / | / / / / ||

Wuthering Heights

Words and Music by
KATE BUSH

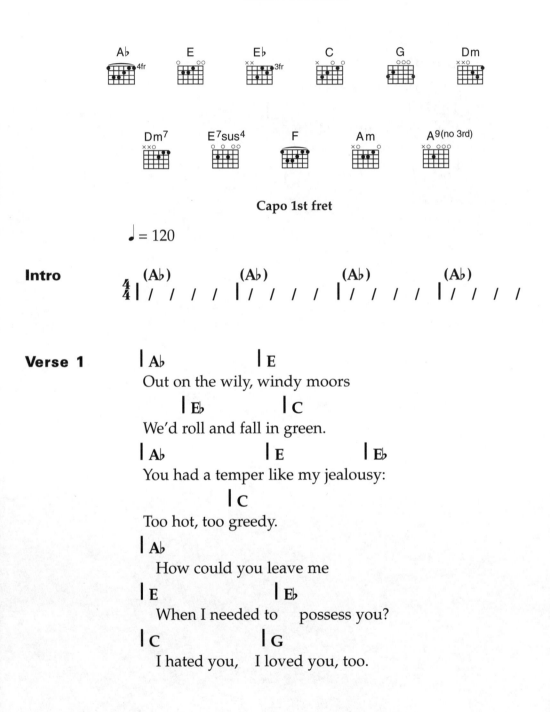

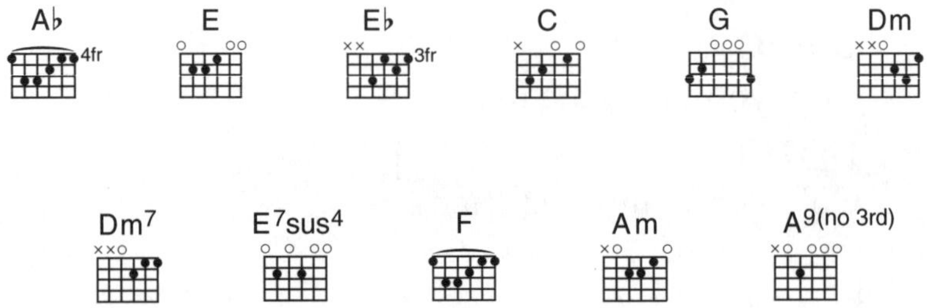

Capo 1st fret

♩ = 120

Intro

4/4 | (A♭) / / / / | (A♭) / / / / | (A♭) / / / / | (A♭) / / / /

Verse 1

|A♭ |E
Out on the wily, windy moors
|E♭ |C
We'd roll and fall in green.
|A♭ |E |E♭
You had a temper like my jealousy:
|C
Too hot, too greedy.
|A♭
How could you leave me
|E |E♭
When I needed to possess you?
|C |G
I hated you, I loved you, too.

Prechorus

| Dm Dm^7 | E^7sus^4
Bad dreams in the night:
| Dm Dm^7 | E^7sus^4
They told me I was going to lose the fight,
| Dm Dm^7 | E^7sus^4 |
Leave behind my wuthering, wuthering, Wuthering Heights.

Chorus

| F Dm | G
Heathcliff, it's me, I'm Cathy,
$\frac{2}{4}$| C $\frac{4}{4}$| F
I've come home, I'm so cold,_____
| F G $\frac{2}{4}$| C $\frac{4}{4}$| F
Let me in-a-your window.______
| Dm | G
Heathcliff, it's me, I'm Cathy,
$\frac{2}{4}$| C $\frac{4}{4}$| F
I've come home, I'm so cold,_____
| F G $\frac{2}{4}$| C $\frac{4}{4}$| F | A♭
Let me in-a-your window._____ / / / / / / /

Verse 2

| A♭ | E
Ooh, it gets dark, it gets lonely,
| E♭ | C
On the other side from you.
| A♭ | E
I pine a lot, I find the lot
| E♭ | C
Falls through without you.
| A♭
I'm coming back, love,
| E | E♭ | C | G
Cruel Heathcliff: my one dream, my only master.

Prechorus 2

| Dm Dm^7 | E^{7}sus^4
Too long I roam in the night;
| Dm Dm^7 | E^{7}sus^4
I'm coming back to his side to put it right;
| Dm Dm^7 | E^{7}sus^4 |
I'm coming home to wuthering, wuthering, Wuthering Heigh

Chorus 2

| F Dm | G
Heathcliff, it's me, I'm Cathy,
$\frac{2}{4}$| C $\frac{4}{4}$| F
I've come home, I'm so cold,_____
| F G $\frac{2}{4}$| C $\frac{4}{4}$| F
Let me in-a-your window.______
| Dm | G
Heathcliff, it's me, I'm Cathy,
$\frac{2}{4}$| C $\frac{4}{4}$| F
I've come home, I'm so cold,_____
| F G $\frac{2}{4}$| C $\frac{4}{4}$| F
Let me in-a-your window._____

Bridge

| Am | G
Ooh! Let me have it,
| F | Dm C
Let me grab your soul away.
| Am | G
Ooh! Let me have it,
| F | Dm C
Let me grab your soul away.
| Am | A$^{9(no\ 3rd)}$ | F | Am
You know it's me, Cathy. / / / / / / /

Chorus 3

| Am | F Dm | G

/ / / Heathcliff, it's me, I'm Cathy,

2/4 | C 4/4 | F

I've come home, I'm so cold,_____

| F G 2/4 | C 4/4 | F

Let me in-a-your window.______

| Dm | G

Heathcliff, it's me, I'm Cathy,

2/4 | C 4/4 | F

I've come home, I'm so cold,_____

| F G 2/4 | C 4/4 | F

Let me in-a-your window._____

Coda

| Dm | G

Heathcliff, it's me, I'm Cathy,

2/4 | C 4/4 | F | G 2/4 | C 4/4 | F

I've come home, I'm so cold,________ / / / / / /

Guitar solo

F Dm G C F

‖: / / / / | / / / / 2/4 | / / 4/4 | / / / /

F G C F

| / / / / 2/4 | / / 4/4 | / / / / :‖

You've Got A Friend

Words and Music by
CAROLE KING

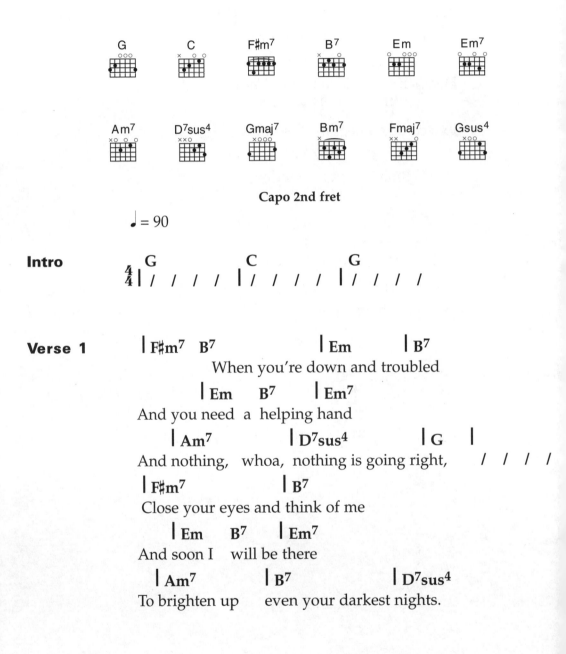

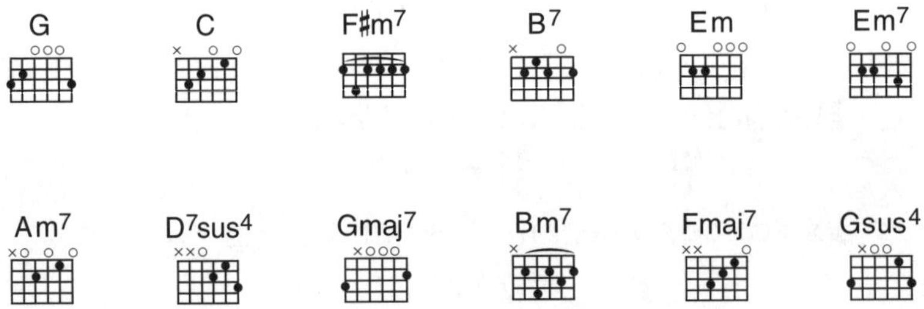

Capo 2nd fret

♩ = 90

Intro

4/4 | G / / / / | C / / / / | G / / / /

Verse 1

| F♯m^7 B^7 | Em | B^7
When you're down and troubled
| Em B^7 | Em^7
And you need a helping hand
| Am^7 | D^{7}sus^4 | G |
And nothing, whoa, nothing is going right, / / / /
| F♯m^7 | B^7
Close your eyes and think of me
| Em B^7 | Em^7
And soon I will be there
| Am^7 | B^7 | D^{7}sus^4
To brighten up even your darkest nights.

horus 1

| | G | Gmaj^7 | C | Am^7

You just call out my name, and you know wherever I am

| D^{7}sus^4 | G | Gmaj^7 | D^{7}sus^4 |

I'll come running, oh yeah baby, to see you again. / / / /

| G | Gmaj^7 | C | Em

Winter, spring, summer, or fall, all you got to do is call

| C Bm^7 | D^{7}sus^4

And I'll be there, yeah, yeah, yeah.

| G

You've got a friend.

nk

C G

| / / / / | / / / / |

erse 2

| F♯m^7 B^7 | Em | B^7 | Em

If the sky__ above you should turn dark

B^7 | Em^7

And full of clouds

| Am^7 | D^{7}sus^4 | G |

And that old north wind should begin to blow,___ / / / /

| F♯m^7 | B^7 | Em B^7 | Em^7

Keep your head together and call my name out loud

| Am^7 | B^7 | D^{7}sus^4

Soon I'll be knocking upon your door.

orus 2

| | G | Gmaj^7 | C | Am^7

You just call out my name and you know wherever I am

| D^{7}sus^4 | G | | D^{7}sus^4 |

I'll come running, oh yes I will, to see you again.

| G | Gmaj^7 | C | Em

Winter, spring, summer or fall, all you got to do is call

| C Bm^7 | D^{7}sus^4

And I'll be there, yeah, yeah, yeah.

Bridge

| Fmaj7 | C
Hey, ain't it good to know that you've got a friend
| G | Gmaj7
When people can be so cold ?
| C | Fmaj7
They'll hurt you and desert you,
| Em7 | A7
Well they'll take your soul if you let them.
| D7sus4
Oh yeah, but don't you let them.

Chorus 3

| | G | Gmaj7 | C | Am
You just call out my name and you know wherever I am
| D7sus4 | G | | D7sus4
I'll come running to see you again.
|
Oh babe, don't you know that,
| G | Gmaj7
Winter spring summer or fall, hey now,
| C | Em
All you've got to do is call.____
| C Bm7
Lord, I'll be there, yes I will.
| D7sus4 | G
You've got a friend.

Coda

| C | G
You've got a friend –
| C | G
Ain't it good to know you've got a friend,
| C | G
Ain't it good to know you've got a friend,
| C | Gsus4 G ‖
Oh yeah, yeah, you've got a friend.

Also Available

Essential Acoustic Playlist

Chord Songbook ISBN: 0-571-52572-5

ll The Small Things (Blink 182) – All You Good Good People (Embrace) – Angie (The olling Stones) – Any Day Now (Elbow) – Bittersweet Symphony (The Verve) – Buddy emonheads) – Burning Down The House (Talking Heads) – Central Reservation (Beth rton) – Come Together (Primal Scream) – Cryin' (Aerosmith) – Don't Dream It's Over rowded House) – The Drugs Don't Work (The Verve) – Empty At The End (Electric oft Parade) – Everybody Hurts (R.E.M.) – Everyday Is Like Sunday (Morrissey) – Fast ar (Tracey Chapman) – Fat Lip (Sum 41) – Fell In Love With A Girl (The White Stripes) Fireworks (Embrace) – Fly Away (Lenny Kravitz) – Future Boy (Turin Brakes) – Going laces (Teenage Fanclub) – Good Riddance (Green Day) – Heaven Knows I'm Miserable he Smiths) – Hotel California (The Eagles) – Hotel Yorba (The White Stripes) – Hunter ido) – It's A Shame About Ray (Lemonheads) – Karma Police (Radiohead) – Kiss Me ixpence None The Richer) – Losing My Religion (R.E.M.) – Love Burns (Black Rebel lotorcycle Club) – The Man Who Told Everything (Doves) – Mansize Rooster upergrass) – Mellow Doubt (Teenage Fanclub) – Movin' On Up (Primal Scream) – loving (Supergrass) – Mr. Jones (Counting Crows) – Next Year (Foo Fighters) – Novocaine or The Soul (Eels) – Over The Rainbow (Eva Cassidy) – Panic (The Smiths) – Porcelain loby) – Pounding (Doves) – Powder Blue (Elbow) – Rhythm & Blues Alibi (Gomez) – ave Tonight (Eagle Eye Cherry) – Silent Sigh (Badly Drawn Boy) – Secret Smile emisonic) – Shot Shot (Gomez) – Silent To The Dark (Electric Soft Parade) – Slight eturn (The Bluetones) – Soak Up The Sun (Sheryl Crow) – Something In My Eye (Ed arcourt) – Something To Talk About (Badly Drawn Boy) – Song 2 (Blur) – Song For he Lovers (Richard Ashcroft) – Standing Still (Jewel) – Street Spirit (Fade Out) adiohead) – Teenage Dirtbag (Wheatus) – Tender (Blur) – There Goes The Fear (Doves) Time In A Bottle (Jim Croce) – Underdog (Save Me) (Turin Brakes) – Walking After You oo Fighters) – Warning (Green Day) – Waterloo Sunset (The Kinks) – Weather With You rowded House) – Wicked Game (Chris Isaak) – Wild Wood (Paul Weller)

AP01